| 诉讼常识 | 家庭生活 | 财产保护 | 外出务工 |

农村居民
法律常识案例读本

NONGCUN JUMIN
FALU CHANGSHI ANLI DUBEN

蔡慧永 刘双玉 / 主编

法官说法丛书

中国法制出版社
CHINA LEGAL PUBLISHING HOUSE

《农村居民法律常识案例读本》编委会

主　编　蔡慧永　刘双玉

副主编　李艳红　汪　琦　杨平胜　吴　琼
王元田　魏立新

执行主编　赵长新

编　辑　王　玲　张　达　马小龙

撰稿人（以姓氏笔画为序）
万人瑞　马维洪　王　飞　卢　震　刘晓政
苏相中　张　洁　张　毅　张子才　陈访雄
姜　涛　赵亚坤　赵泓翔　曹巧峤　曹源清
颜九洲　魏祥胜

总序

TOTAL ORDER

全民普法，是中国特色社会主义法治建设的一个显著特色。自1985年党和政府颁布《关于向全体公民基本普及法律常识的五年规划》以来，对亿万民众的法治宣传教育已经进入到第七个五年规划阶段（2016—2020年）。如此规模宏大、持续不断的普法进程，古今中外，史无前例。

党的十八届四中全会以“全面依法治国”为主题，要求“坚持把全民普法和守法作为依法治国的长期基础性工作，深入开展法治宣传教育”；十八届五中全会进一步要求“弘扬社会主义法治精神，增强全社会特别是公职人员尊法学法守法用法观念，在全社会形成良好法治氛围和法治习惯”；十九大报告更是以“提高全民族法治素养”的高度，强调“全面依法治国是国家治理的一场深刻革命，必须坚持厉行法治，推进科学立法、严格执法、公正司法、全民守法”。同时，习近平总书记还多次强调“领导干部要做尊法学法守法用法的模范”，要求法治宣传教育“要创新宣传形式，注重宣传实效”，为法治宣传教育工作指明了方向，提供了基本遵循。随着中国特色社会主义建设进入新时代，深入开展法治宣传教育、加大全民普法力度、增强全民法治观念，具有日益重要而深远的现实意义。

法官普法，正是在这样一个历史背景下，成为了新时代法治建设的责任和使命。自党的十八届四中全会明确提出国家机关“谁执法谁普法”的普法责任，中共中央办公厅、国务院办公厅于 2017 年 5 月 17 日印发并实施《关于实行国家机关“谁执法谁普法”普法责任制的意见》(以下简称《意见》)，为健全普法宣传教育机制，落实普法责任，提出了纲领性的指引。普法责任不再仅仅局限于各级各地的司法行政部门，更是成为所有国家机关和公务人员的公共责任。这其中，人民法院和人民法官，作为法律的实际解释者和案件的具体裁判者，既责无旁贷，也是最佳人选。《意见》提出“建立法官、检察官、行政执法人员、律师等以案释法制度”，法官首当其冲。

法官普法，以案释法，正是本着这一主旨。《法官说法丛书》总编委会积极探索普法形式和内容的创新与突破，努力为“七五普法”、新时代社会主义法治建设贡献一份力量！

与中国的普法和法治进程相伴，《法官说法丛书》是一个系列丛书。本期出版的是第一批，总计六本，包括《公民法律常识案例读本》《农村居民法律常识案例读本》《国家工作人员法律常识案例读本》《职场法律常识案例读本》《校园法律常识案例读本》《安全生产法律常识案例读本》。

尽管是初创，丛书涉及方面之广，组织作者之多，都已极其难得。在法院领导的支持下，参与编写的北京市西城区人民法院、北京市房山区人民法院法官共 102 人，编写案例 126 篇。该期丛书从六个具体方面，通过“以案释法”的形式，以案例作为普法载体，将概括、抽象的法律条文生动化、具体化，通过说身边事、育身边人，有针对性地进行法律知识的普及。并且在帮助人民群众正确理解和遵守法律的同时，培养公民的法律素养和法律信仰，塑造公民的法治观念。

在每一个具体法律问题的讲解中，本丛书各分册均统一遵循案情回顾、法理分析、知识拓展和普法提示的编排体例，由表及里、深入浅出。在内容上，丛书力求将案例分析与理论阐述紧密结合，甄选的案例聚焦时下热点话题，紧密贴合执法实际。对案例的评析以解读相关法律条款为基础，但又不局限于此，尽可能地结合法律原理、原则、精神、目的等进行更为深入的阐释，以期为读者提供更为准确的行为指引和更为丰富的法律知识补给，为维护和谐安定的社会环境和推动我国法治进程贡献自己的力量。

值此中华人民共和国成立七十周年、“七五普法”收官之际，我们谨以此套丛书献礼祖国！

《法官说法丛书》总编委会

2019 年 7 月

序

PREFACE

法治社会的精神在于整个社会对法律至上地位的普遍认同和支持，同时培育全体公民养成自觉遵守法律法规，通过司法程序解决纠纷的习惯和意识。随着我国法治社会的深入建设，广大人民群众的法治观念普遍提高，遵纪守法的自觉性及运用法律武器维护自身合法权益的能力显著提高。然而由于客观存在的区域因素、文化水平的影响，相较于城镇居民，农村居民依法对权利的保护与救济仍有欠缺。

为了满足广大农村居民对常用法律法规的迫切需求，切实提升其法治观念及司法意识，了解纠纷发生后该如何通过法院解决，运用法律维护自身的合法权益，北京市西城区人民法院组织审判经验丰富的一线干警，秉承“以人为本”的现代司法理念，对近年来涉农村及农村居民的案件进行梳理总结，归纳热点问题，以典型性的真实案例为基础，用通俗易懂的语言以案释法，同时延伸相关的法律要点，集中众人智慧与力量完成《农村居民法律常识案例读本》一书，让读者能够从鲜活的案例中感悟法律，进而引导广大农村居民知法、守法、用法。

全书共分为四个篇章，分别为“诉讼常识”“家庭生活”“财产保护”“外出务工”，囊括了与农村居民生产生活密切相关的全部法律问题。“诉讼常识”篇告诉读者官司该如何打，“家庭生活”篇涵盖了日常生活中最基本的法律问题，如宅基地、遗嘱、彩礼纠纷等，“财产保护”篇则针对目前广泛存在的非法集资、高利贷等社会问题以及借款、担保、买卖合同，讲解村民如何依法保护自己的财产权益，而在“外出务工”篇中，是专门针对务工人员，告诉他们出门在外该如何保护自己的合法权益，包括劳动权益、人身伤害、交通事故等方面。综合而言，此书具有较强的针对性、实用性及可读性，希望能够为广大的农村居民提供一套通俗易懂而又契合实际的法律读本，让法律走进农村，让我们国家及社会的法治建设水平整体推进。

受时间和水平所限，编写过程中难免存在偏颇及不足之处，恳请大家批评指正。

《农村居民法律常识案例读本》编委会

2019 年 7 月

目录

CONTENTS

第一章

诉讼常识

案例一

司法诉讼全流程

——如何参加一场诉讼

刘晓政[①]

案情回顾

(一)朋友生意惹官司

李老二是乡里有名的养鸡专业户，由于是林地散养，鸡的肉质上佳，很多酒店餐馆都订购他的鸡。王老五跟李老二关系不错，打算开一家专做土鸡的餐馆，就从李老二的养殖场进货，生意肯定红火。因为资金不够，王老五就从李老二那里借了 10 万块钱，在镇里开了一家餐馆，并与李老二约定由他每天为餐馆供应鸡。李老二就按照约定，每天按时给王老五的餐馆送货。如此一个月，王老五一直不给李老二结算，总借口说现在手头不宽裕再等等。李老二想:“这样一直拖着不给钱，我可不能再给王老五送鸡了，不然王老五拖欠的钱越来越多，我可就亏大了。”于是，李老二就不再给王老五的餐馆送货，让他重新选进货渠道。

可没过多久，有两个自称是法院的人来到李老二家，说王老五起诉他

① 北京市西城区人民法院立案庭法官助理。

不按照合同供应鸡，要求赔偿违约金，法院向他送达了应诉材料。

（二）不懂诉讼波折多

李老二一听，心里升起一股火："明明是王老五不给我钱，现在反倒起诉我不给他供货，我是债主却成了被告，这是什么道理！王老五违约在先，法律规定我有权解除合同，法院不问青红皂白就传唤我，我才不去参加开庭呢。既然你王老五恶人先告状，那我也告你，你开饭馆向我借的 10 万块钱还没还我呢，你在县法院告我，我直接去省里法院告你，看谁的厉害！"

结果，李老二就真的没有去法院开庭应诉。过了一段时间法院直接作出判决，裁定李老二支付王老五违约金 1 万元。李老二气得什么材料都没带，直接到省高院起诉王老五，结果案子没立成，省高院让他回县法院。到了县法院也是再三折腾才立了案，王老五一直不配合庭审，导致庭审一直不顺利，虽然最后判决王老五还钱，但是整个事情折腾了 1 年多。李老二就不明白了，怎么打个官司就这么难？

法理分析

本案例中，应当说李老二和王老五之间纠纷的法律关系是十分明确的。在案件中也能看出，李老二对于法律规定的权利还是比较了解的。他明白在与王老五的买卖合同中，王老五没有按时结算鸡钱，他停止继续供应货物是有法律依据的。李老二疑惑的是，法律明明规定我是权利方，怎么我却成了被告，还败了诉？而在与王老五借款合同诉讼中，为什么立案困难、庭审也如此困难？

案例中李老二在与王老五的买卖合同纠纷中，没有正确认识诉讼，不积极参加诉讼，不积极在庭审中去反驳王老五的主张，使法院无法全面查明真相，最终导致败诉。而李老二败诉后未及时去上诉，致使自己的合法权益受到损害。在李老二与王老五借款合同纠纷中，李老二没有向有管辖权的法院提起诉讼，同时诉前没有认真准备相关材料，导致了立案和庭审的波折。

因此，参加法院诉讼，无论是作为原告还是被告，都应当积极准备，按时参加诉讼，服从法官指令，这样才能保证自己的合法权利得到保护。

知识拓展

随着依法治国的不断推进，人们的权利意识不断提升。如何及时、正确、有效地实现自己权利的救济，日益成为人民群众关心的话题。到法院起诉已经是人民群众最为常见的维权途径，但是由于受到各种原因的限制，对于如何正确去法院实现、救济自己的权利，也就是怎样行使自己的诉权，存在着一定的困惑。

权利不可能自然而然地实现，而是需要通过一定的程序去实现，实体的公正是需要通过公正的程序去实现的，尤其是法院诉讼，作为权利定分止争的最后一道防线，有着严格的程序要求，只有按照法律规定的程序进行，才能使自己的正当权利得到充分的保护。

（一）向哪家法院起诉

在遇到纠纷后，认为只能直接到最高审判机关，才能及时、公正地解决纠纷。为了消除这种认识误区，我们首先应该对我国法院的设置及审判制度有所了解。

1. 应该向哪一级法院起诉?

我国实行四级法院系统，包括基层人民法院、中级人民法院、高级人民法院以及最高人民法院。我国《民事诉讼法》第十七条规定，基层法院管辖第一审民事案件，但民事诉讼法另有规定的除外。而我国实行两审终审制，就是当出现通过第一审审判，当事人对审判结果不满意的情况时，在法律规定的时间内，可以向上一级法院进行上诉，上一级法院的审理结果是最终的审判结果，具有法律效力。这意味着大多数的一审案件在基层法院进行，如果当事人对一审判决不服提出上诉，则纠纷将最终在中级人民法院得到解决。另外，我国法律还规定各级法院都是独立行使审判权，上级法院对下级法院是指导关系而非领导关系。

2. 应该向哪个基层法院起诉?

这就牵扯到法院管辖的问题。我国法院对一审案件管辖实行的是“原告就被告”的原则，意思是说，一般情况下，案件都由被告住所地法院进行管辖审理。还有一类特殊案件则是由专门的法院进行管辖，即“专属管辖”，根据民事诉讼法规定，因不动产纠纷提起的诉讼，由不动产所在地人民法院管辖；因港口作业中发生纠纷提起的诉讼，由港口所在地人民法院管辖；因继承遗产纠纷提起的诉讼，由被继承人死亡时住所地或者主要遗产所在地法院管辖。另外，对于侵权案件、合同案件，除了被告住所地法院可以管辖以外，法律还分别规定了可以由侵权行为地、合同履行地管辖，即“选择管辖”。例如，王老五和李老二的买卖合同纠纷案件中，王老五开的餐馆和李老二的住所不在同一个县城，王老五既可以将餐馆所在地作为双方合同履行地在该地法院起诉，也可以在李老二家所在地法院起诉。

（二）什么是立案登记制

为充分保障当事人诉权，切实解决人民群众反映的“立案难”问题，2015年5月1日起，法院案件受理制度变立案审查制为立案登记制，对人民法院依法应当受理的案件，做到有案必立、有诉必理。立案登记制是指当事人只要提供符合形式要件的诉状，法院应当一律接收，对符合法律规定的，当场登记立案；对当场不能判定是否符合法律规定的，应当在法律规定的期限内决定是否立案；起诉材料不符合形式要件的，应当及时释明，以书面形式一次性全面告知应当补正的材料和期限，在指定期限内经补正符合法律规定条件的，人民法院应当登记立案；对于不符合法律规定的起诉，应当依法裁决不予受理或者不予立案。

（三）如何进行诉前准备

随着立案登记制改革的实施，人民群众的诉权得到了极大的保障，但这不意味着起诉没有任何的要求。诉讼是解决纠纷的一种方式，但不是唯一一种，且诉讼成本较高，在通过其他方式无法合理、公正解决纠纷的情况下，寻求司法裁决是一个理性的选择。诉讼是一场细致的证据展示的法律博弈过程，在诉讼前应当做好各项准备。

1. 做好心理准备

启动诉讼前应当经过审慎的、理性的思考，确认诉讼是必要的，纠纷通过诉讼才能得到最合适的解决。诉讼是要通过严谨的程序，经过证据的质证，来向法庭呈现最接近客观的法律事实。通俗地说，一场诉讼的关键就是证据。因此在诉前应当对诉讼抱有合理的预期，根据自己的证据情况确定诉讼目标，切勿盲目地追求不合理的诉讼预期。

2. 认真书写诉状

诉前要根据自己确定的诉讼请求，全面分析纠纷的法律关系。而这个分析的过程和结果，最终要全面体现在诉状上。目前有很多人包括律师认为起诉状不重要，我们应当走出这个误区。起诉状是案件法律关系、争议焦点、事实和理由等的集中体现，认真书写起诉状既可以让起诉人对案件有全面的认识并有针对性地做诉前准备，又可以将案件重要信息第一时间传达给法官和对方当事人，从而使审判更加有序、高效。

3. 全面准备证据

上文已经说到，法律规定的实体权利是相对确定的，而诉讼就是通过一系列证据来使审判查明的事实尽可能接近客观事实。因此，提起诉讼前，要尽可能地全面搜集证据来支持自己的诉讼请求。有很多人存在认识误区，认为证据由法官来调查就可以了，或者先起诉了再慢慢去搜集证据。但当事人全面而及时地搜集并提交证据，既是对自己负责，也是法律的要求。我国《民事诉讼法》明确规定当事人对自己提出的主张，有责任提交证据，人民法院根据当事人的主张和案件审理情况，确定当事人应当提供的证据及其期限。当事人在该期限内提供证据确有困难的，可以向人民法院申请延长期限，人民法院根据当事人的申请适当延长。当事人逾期提供证据的，人民法院应当责令其说明理由；拒不说明理由或者理由不成立的，人民法院根据不同情形可以不予采纳该证据，或者采纳该证据但予以训诫、罚款。确因客观原因无法自行收集的证据可以申请法院收集。因此，为了保障自己的权利，在诉讼前就应该全面地进行证据搜集，既可以避免因无法及时提交证据造成自身损失，又可以在诉讼前通过证据搜集情况，理性判定诉讼风险，从而确定合适的诉讼请求和诉讼策略，最大化地维护自己的权利。

（四）递交起诉材料有何规定

通过以上的各种诉前准备，我们就可以正式向法院立案庭提交起诉了。按照我国《民事诉讼法》的规定，起诉应当向人民法院递交起诉状，并按照被告人数提出副本。起诉状应当记明下列事项：原告的姓名、性别、年龄、民族、职业、工作单位、住所、联系方式，法人或者其他组织的名称、住所和法定代表人或者主要负责人的姓名、职务、联系方式；被告的姓名、性别、工作单位、住所等信息，法人或者其他组织的名称、住所等信息；诉讼请求和所根据的事实与理由；证据和证据来源，证人姓名和住所。

根据大多数村民生活、生产的情况，大多数纠纷都可以向基层法院提起诉讼。向法院立案庭提交诉讼材料后，立案庭法官将对提交材料进行审查，并在七天内决定是否立案。立案登记制实施后，大多数案件都可以当场得到立案，对于需要补充必要相关材料的，法官将会出具一次性补充补正通知书，当事人需要按照通知书要求积极补充相关材料。

（五）如何积极、有序地参加庭审

案件起诉到法院后，无论是作为原告发起诉讼，还是作为被告被动参加诉讼，都应该遵守法律规定，按照法庭的指令，积极地、有序地参加庭审。有些人还保有传统观念，认为自己作为被告参加庭审是耻辱的，认为原告的起诉不符合事实，因此消极对待庭审。这样做不仅影响法官查明事实，影响案件的审理，也使自己的合法权利处于不确定甚至是危险的境地。

1. 积极应诉，按时参加庭审

这既是公民的权利，也是公民的义务。我国《民事诉讼法》规定，原告经传票传唤，无正当理由拒不到庭的，或者未经法庭许可中途退庭的，人民法院可以按撤诉处理，被告反诉的，可以缺席判决；被告经传票传唤无正当理由拒不到庭，或者未经法庭许可中途退庭的，人民法院可以依法缺席判决；人民法院对必须到庭的被告，经两次传票传唤，无正当理由拒不到庭的，可以进行拘传，即强制将被告带至法院参加庭审。

为了充分保证当事人的诉权，民事诉讼法同时规定了一系列的权利，包括：委托代理人、提出回避申请、提出管辖异议、申请调查取证、反驳诉讼请求、进行辩论、请求调解、变更诉讼请求、提起反诉、申请保全以及申请先予执行等。而这一系列权利的实现都需要当事人积极、按时地参加到诉讼中。因此无论是原告还是被告为了自身合法权利得到实现，都应该积极应诉，按时参加诉讼，特别是被告更应当及时向法庭提交答辩书，积极参加庭审，争取自身合法权益。

2. 遵守法庭规则，服从法官指令

司法审判是庄严和肃穆的，法官代表法律行使国家司法审判权，为保证诉讼有序、公正地进行，需要诉讼参加人遵守法庭规则，服务法官审判指令。《民事诉讼法》规定诉讼参与人和其他人应当遵守法庭规则。《人民法庭规则》也规定，诉讼参与人应当遵守法庭规则，维护法庭秩序，不得喧哗、吵闹；发言、陈述和辩论，须经审判长或者独任审判员许可。人民法院对违反法庭规则的人，可以予以训诫，责令退出法庭或者予以罚款、拘留。对于哄闹、冲击法庭，侮辱、诽谤、殴打审判人员，严重扰乱法庭秩序的予以追究刑事责任。同时，诉讼参与人对案件应当如实陈述、举证，不得伪造、毁灭证据，不得恶意串通，企图通过诉讼、调解等方式侵害他人合法权益。诉讼参与人只有遵守法庭规则，服从法官审判指令，诚实信用地参加诉讼活动，才能使自己的合法权益得到实现。

（六）法官裁判后如何做

法院在庭审最终结束以后，将依法进行裁判。当事人在收到判决书或者裁定书后应当如何对待法院的判决？

1. 如何提起上诉？

我国民事诉讼采用二审终审制，也就是在一审判决后，任何一方当事人对判决结果不服，都可以在法律规定的期限内上诉，上诉到上级法院进行二审，二审结果就是最终结果。《民事诉讼法》第一百六十四条规定，当事人不服地方法院第一审判决的，有权在判决书送达之日起十五日内向上一级法院提起诉讼。当事人不服地方人民法院第一审裁定的，有权在裁定书送达之日起十日内向上一级人民法院提起诉讼。判决书或者裁定书都会载明上诉期间和上诉法院，只要按照文书表明的期限上诉即可。上诉需要准备的材料，最重要的就是上诉状。上诉状包含的内容跟起诉状大同小异，应当包括双方当事人的基本信息，原审法院名称、案件的编号和案由，尤其重要的是写明上诉的请求和理由。准备好相关材料后向原审法院提交材料。在材料提交后，按照二审法院指令准备二审。

2. 如何履行生效文书？

当事人对一审文书未上诉，或经二审终审后，法律文书即生效。当事人应当充分尊重生效文书的法律效力，积极、全面地履行文书所确定的义务。若一方当事人不履行或不全面履行文书确定的义务，另一方当事人可以向一审法院申请强制执行。被申请人应当按照法院执行通知的指令要求，积极履行法律文书确定的义务，对于拒不履行法律文书的被执行人，法院可以依法强制执行，并可以进行罚款、拘留，甚至追究刑事责任。因此，作为守法公民，对于生效的法律文书应当积极履行，这是每个公民应尽的义务。

3. 权利如何救济？

对于生效的法律文书，如果当事人还是不服，认为判决或裁定确实存在问题，应当如何救济自己的权利？我国实行的是二审终审制，但是为了切实保护公民的合法权利不受损害，《民事诉讼法》设置了审判监督程序作为救济程序。《民事诉讼法》第一百九十九条规定，当事人对已经发生法律效力的判决、裁定，认为有错误的，可以向上一级人民法院申请再审；当事人一方人数众多或者当事人双方为公民的案件，也可以向原审人民法院申请再审。当事人申请再审的，不停止判决、裁定的执行。应当注意的是，提出再审的申请条件不同于上诉，当事人应当对案件充分认识，认为判决错误应当有切实的证据来支持，不能仅意气用事。《民事诉讼法》第二百条明确列举了符合再审要求的情形，总结起来，主要指原审中的证据有问题、适用法律错误、违反法定程序、审判人员存在廉政问题，存在以上问题的，法院才会启动再审程序。

普法提示

通过以上讲解，我们大体可以了解如何参加一场诉讼，在诉讼中重点做到诉前积极准备，诉中服从审判指令、积极参加庭审，诉后尊重法律文书，并及时履行，如此才能高效地维护自己的权利。为了能够使纠纷的解决更高效，同时又不伤害人与人之间的感情，特别是对于家人、亲朋、邻里之间的纠纷，除了利益还有亲情的维护，我国法律规定了全面的调解程序，不仅有贯穿诉讼程序始终的诉内调解，同时，我国司法领域正在进行多元化纠纷解决机制改革，通过诉前人民调解、行业调解、行政调解等多元调解方式，使大多数的纠纷在诉讼前就得到解决。作为村民，在遇到矛盾纠纷的时候，可以寻求诉前人民调解委员会的力量，在权利和亲情之间架起信任的桥梁，合理提出自己的诉请，平静自己的情绪，为了亲情、友情，各自退让自己前行的步伐，使矛盾在萌芽中解决，让更美好的幸福留存。

案例二

调解协议司法确认

——人民调解协议司法确认程序

谢江军[1]　王飞[2]

案情回顾

李明的父亲排行老三，家住向阳村，与同村的二伯、四叔、姑姑既是近亲又是近邻，是村里有名的人丁兴旺、融洽和乐的大家族，可是自李明的爷爷奶奶去世后，四家的感情却因为二老在镇上阳光小区的一处房产产生了裂痕。原来李明的爷爷奶奶上了年纪以后身体不好，渐渐不能适应村里的生活，为了养老，几乎花费了毕生积蓄购买了一套养老商品房，近两年，两位老人先后去世，却都没有订立遗嘱，兄弟四人对房产如何继承有了各自的小算盘。

家庭会议上，大家七嘴八舌地说起来，四叔说自己之前一直跟二老一起居住，为二老端茶倒水洗衣做饭，尽了大部分的赡养义务，至少要把房子分给自己一半；二伯却说，大哥去世了，自己就是老大，长兄如父，要给一半也是给自己一半，李明的姑姑是姑娘，正所谓“嫁出去的姑娘

① 北京市西城区人民法院立案一庭法官。
② 北京市西城区人民法院立案一庭法官助理。

泼出去的水”，就不分给她了；姑姑当然不同意二伯的说法，通过咨询律师，她知道女性也有平等的继承权；李明的爸爸本来没有什么想法，可是觉得按照他们的分法自己就吃了亏，很是气愤。兄弟姐妹各不相让，吵架吵了一年多都没得出结果。

有亲戚向他们提议，如果实在不行就去法院起诉，法院判多少就是多少。可谁都不愿意把事情闹到法院，谁也不愿意当被告，房产继承的事情也就一直搁置着。导致李明见了二伯、四叔、姑姑都有点儿尴尬，和谐的家庭氛围成了回忆中的往事，一大家子人的关系不知何时才能回到正轨。李明将内心的苦楚说给村主任，表达了一家人重归于好的愿望。村主任听后，主动帮忙联系了村委会人民调解委员会的人民调解员来对老李家的继承问题进行调解。调解员收到案件后，很快就召集李家兄弟姐妹四人，并且通知了大伯家的女儿，在充分听取他们意见的基础上，耐心细致地对几人讲解了有关继承的法律、法规，指出除非有虐待、遗弃等法定情节，否则第一顺位当事人均享有平等继承权，男女平等，另外，先于二老去世的李明大伯的独生女可以代位继承其父亲有权继承的遗产份额，建议一家人平等协商、互谅互让，共同维护和利用老人的遗产房屋。

经过调解员有理有据、情理兼顾的调解，大家都了解到，老人没有遗嘱，应该按照法律平分遗产，而且虽然大哥去世了，可是其份额仍可由其独生女代为继承，最终，调解结果达成了，五人各占五分之一。可是李明心里却仍在打鼓，听说只有法院的判决书才有法律效力，现在通过调解真的能办理好房产的过户吗？村主任得知后劝解道：“人民调解协议达成后，盖上法院的大章就行了。”调解员也跟李明说：“调解成功的话，调解组织可以出具人民调解协议书，双方只要再去法院申请对人民调解协议进行司法确认，那协议书就跟法院的法律文书一样拥有法律效力了。”什么是人民调解司法确认？李明仍然疑惑。

法理分析

在生活中，我们每一个人都不断地跟周边的人们发生着各种法律关系，尤其是亲属之间，更容易因为继承、赡养、合伙以及各种金钱往来产生纠纷。如同案例所述，李明的爷爷奶奶去世之后，一家人就产生了继承纠纷。案情并不复杂，既然二老没有遗嘱，也没有继承人丧失继承权的情形，一般的原则就是按照法定继承的法律规定由所有第一顺位继承人享有平等继承权，我国《继承法》中有明确的规定。但是由于社会生活的复杂性，出于各种原因，即便是亲人之间也很可能产生意见的不一致，若每个人都不想让步，那纠纷就产生了。当今社会，人们法律意识逐渐健全，都知道人民法院是解决纠纷的权威司法机关，但是法院只是解决纠纷的最后的一个途径，在选择到人民法院提起民事诉讼之前，还存在其他的一些纠纷解决机制，人民调解就是其中的重要一种，尤其是自2009年起，我国法院系统已经逐渐全面构建起可通过人民调解协议司法确认程序确认人民调解协议效力的制度。《民事诉讼法》第一百九十四条明确规定“申请司法确认调解协议，由双方当事人依照人民调解法等法律，自调解协议生效之日起三十日内，共同向调解组织所在地基层人民法院提出”，在基本法律制度上，为人民调解协议司法确认确定了依据，人民调解制度焕发出新的活力，成为可以切实有效地减轻广大人民群众诉累和保障当事人达成的权利义务分配协议得以实现的重要路径。

正如上文案例中所体现的，虽然老李家一家人心里都存在着自己的“小九九”，李明的二伯、四叔都希望自己能在继承中多分一些份额，但是血浓于水，谁都不想撕破脸皮，而且大家在发生纠纷后，对继承方面的法律规定也都有一定的了解，知道自己的多分意愿或多或少在法律上是站不住脚的，但是谁都不愿意让步，希望在僵持中对方能够妥协，这样大家就陷入了一个你我博弈的僵局，这种情景在很多家庭纠纷变得不可挽回之前都出现过，如果处理得当，家庭可以重归于好，反之，一家人的感情将面临破裂的风险。所幸，本案中家庭的纠纷在说给村主任听后，人民调解委员会的调解员介入了纠纷的解决，以法律的明确规定说服几个兄弟姐妹，同时以血脉亲情感化他们，最终达成了符合法律规定的继承份额划分协议，而且切实保障了大伯独生女的利益，实现了法律情理双赢的结局。

通过到法院起诉的诉讼途径虽然也可以解决民事纠纷，但是正如李明的叔伯们存在着谁都不愿意做被告的心态，而最终通过人民调解协议司法确认的方式解决纠纷的案例所反映出来的一样，人民调解协议的形式较之诉讼更适合于亲属之间的纠纷类型。

总体来说，人民调解的形式解决熟人社会之间的纠纷有着如下的优势：（1）调解方式的柔和性。追求和气不轻易诉诸公堂的“厌诉情结”仍普遍存在于中国老百姓的心中，“打官司”在普通群众的生活里往往意味着彻底撕破脸皮，双方关系在诉讼结束后也很难得到修复，而人民调解通过群众自治组织的人民调解员春风化雨的讲解疏导，在法律的底线之上，更多考虑人情道义，能将绳子的结解开的情况下就不轻易用刀割，追求纠纷的圆满解决。（2）调解过程的私密性。不同于法院审判的公开性，人民调解是不对外公开的，高度尊重当事人的隐私，调解的内容结果遵从当事人的意愿，知情人仅限于参与调解的各方，调解组织不得主动对外泄露。[①]（3）调解结果的可控性。诉讼中法院的裁判以事实为依据、以法律为准绳，并不过多考虑到当事人的独特需求，一些法律学者甚至将理想的法院比喻为“一台输入事实和法律吐出判决的自动售卖机”，而人民调解组织的调解则不同，只要不违背法律、法规和国家政策，双方当事人不是蓄意损害第三人利益，则完全尊重当事人的意愿，给予他们完全的处分自身权利义务的自由，而且达成的协议结果需要由各方当事人签名、盖章或者按指印确认

---

① 参见杨万明：《调解员调解指引》，人民法院出版社2018年版，第5页。

方能生效，最大限度地保证了当事人意愿最大公约数的实现。（4）调解花费的经济性。人民调解组织的运转有一定的公益性质，经费由设立单位负责，对所调解案件的当事人不收取任何费用，省去了诉讼费和律师费等费用，成本低廉。这些优点，使人民调解成为解决以继承纠纷为代表的密切关系人之间产生的纠纷的利器，处理得当，法律效果、社会效果都会得到兼顾。现在，人民法院的司法确认程序更是为人民调解带来了实用效果，通过人民调解达成调解协议后，到法院申请司法确认，整个过程并不收取任何费用，却能完全解决纠纷和将处理结果以法律文书固定实现，大大节省了当事人解决纠纷的成本。既可以从容地化解一家人之间的纠纷，又降低了当事人的纠纷解决成本，正所谓家和万事兴，李明一家的案例充分体现了人民调解协议司法确认程序的优越性。

知识拓展

人民调解协议司法确认，是指经人民调解委员会调解达成调解协议后，双方当事人认为有必要的，可以自调解协议生效之日起三十日内共同向人民法院申请司法确认，人民法院对调解协议进行审查和依法确认调解协议效力的制度。人民法院依法确认调解协议有效的，若发生一方当事人拒绝履行或者未全部履行的情况，则对方当事人可以向人民法院申请强制执行，由国家强制力来保障调解协议内容的实现。

人民调解委员会是调解民间纠纷的群众性组织，根据国家法律规定，村民委员会、居民委员会设立人民调解委员会，企业事业单位根据需要设立人民调解委员会，其提供的是诉讼外调解，当然在必要时或者根据一些案件的必要情况，为达成更佳的调解效果和结果，也可以由人民法院对其进行业务指导。既可以是当事人向人民调解委员会申请调解，也可以是人民调解委员会主动对当事人之间的纠纷进行调解，但是调解的前提是需要尊重调解当事人的意愿，若有一方当事人明确拒绝调解，则不得强行调解。人民调解委员会调解民间纠纷，不收取任何费用，其工作性开支通常由设立的机构负担。人民调解委员会可以根据调解纠纷的需要，指定一名或者数名人民调解员进行调解，也可以由当事人选择一名或者数名其信任的人民调解员进行调解。人民调解委员会调解民间纠纷的基本原则就是其调解活动需在当事人自愿、平等的基础上进行，尊重当事人的权利和选择其他方式解决纠纷的自由，不得违背法律、法规和国家政策。

经人民调解员调解后纠纷当事人之间达成的一致性协议即为人民调解协议。人民调解协议从性质上看属于民事合同，若未经司法确认，而当事人在达成人民调解协议之后不履行其在协议中承诺的义务，则对方当事人只能以合同纠纷为由起诉至人民法院或者直接就纠纷提起民事诉讼，经法院对案件审理完毕后，通过民事判决书来进一步明确双方的权利义务，并赋予强制执行力，在判决生效后，若当事人仍不履行其义务，此时对方当事人方可向人民法院申请强制执行；若当事人在达成人民调解协议后，依照司法确认的要求共同向人民法院申请确认了调解协议，则可跳过诉讼程序，在一方当事人拒不履行义务时，另一方直接申请法院对达成的调解协议内容予以强制执行。

人民调解协议司法确认程序即法院通过审查，对符合确认条件的当事人提出确认申请的人民调解协议赋予强制执行力的程序。是人民法院的一种专门的推进调解组织调解与法院诉讼对接的特别程序，充分将人民法院法律文书的强制执行力与人民调解协议的自愿性结合在一起，实现纠纷的圆满化解。人民法院受理申请后，需要对当事人申请确认的调解协议进行审查。经审查，符合法律规定的，人民法院将以裁定的形式确认调解协议有效，若之后，一方当事人拒绝履行或者未全部履行经确认有效的调解协议确定的义务的，对方当事人可以向人民法院申请执行，人民法院将予以强制执行；调解协议不符合法律规定的，人民法院会裁定驳回申请，纠纷的各方当事人可以通过调解方式变更原调解协议或者达成新的调解协议来解决纠纷，也可以向人民法院提起诉讼。

普法提示

当事人申请确认调解协议的，应当向人民法院提交司法确认申请书、调解协议和身份证明、资格证明，以及与调解协议相关的财产权利证明等证明材料，并提供双方当事人的送达地址、电话号码等联系方式。委托他人代为申请的，必须向人民法院提交由委托人签名或者盖章的授权委托书等委托手续。

需要注意的是，人民法院受理司法确认申请是有范围限制的，有下列情形之一的，人民法院不予受理：（一）不属于人民法院受理民事案件的范围或者不属于接受申请的人民法院管辖的；（二）确认身份关系的；（三）确认收养关系的；（四）确认婚姻关系的。不属于上述范围的，人民法院可以受理当事人的司法确认申请，之后便会由审判人员对调解协议审查。

一般而言，法院应当自受理司法确认申请之日起十五日内作出是否确认的决定，因特殊情况需要延长的，可以在履行报批手续后，延长十日。在实践中，为方便当事人快速解决纠纷，许多法院走在了法律规定的前面，在人民法院内部设立或者指定专门部门负责人民调解协议司法确认对接工作，比如，北京市西城区人民法院即在北京市率先开展了试点，设立诉调对接办公室，指派巡回法官负责指导辖区内人民调解组织调解工作和对已达成人民调解协议的司法确认工作，90% 以上的司法确认案件可以由巡回法官或者速裁法官当场出具并送达法律文书，完成司法确认程序，从速从快保障了当事人权益的实现。

在审查过程中，当事人应当向人民法院如实陈述申请确认的调解协议的有关情况，并保证提交的证明材料真实、合法、完备，并在法院决定约见和询问当事人时予以配合。比如，在继承案件中当事人需要提交如下材料：

1. 起诉状：起诉状原件（1+ 被告人数）份，用 A4 纸手写或打印，原告需签名或盖章；

2. 身份证明：原告身份证原件和复印件一份，身份证原件法院核实后退还原告；

3. 委托手续：委托他人代为起诉的，提交授权委托书一份、代理人身份证明原件当场核实、复印件一份、代理人与原告的关系证明一份；委托律师的，提交律师相关委托手续；

4. 被继承人死亡证明：包括医院出具的死亡证明，公安机关因死亡销户的证明、火化凭证等；

5. 亲属关系证明：即户口簿复印件（在同一户口）、公安机关证明、人事档案证明等材料；

6. 遗产证明：提供产权证、银行账户信息、行驶本等复印件。

与人民调解组织的充分重视当事人意愿的倾向不同，法院在审查中，主要审查当事人达成的人民调解协议有无违反法律规定的或者损害其他人利益的内容，二者关注的内容各有偏重，共同保障协议合法合规充分反映当事人的真实意愿。经法院审查具有下列情形之一的，人民法院不予确认调解协议效力：（一）违反法律、行政法规强制性规定的；（二）侵害国家利益、社会公共利益的；（三）侵害案外人合法权益的；（四）损害社会公序良俗的；（五）内容不明确，无法确认的；（六）其他不能进行司法确认的情形。如有上述情形，法院会裁定驳回当事人的司法确认申请，当事人或者重新达成符合法律规定的可以申请法院司法确认的调解协议，然后再重新提交司法确认申请，也可以直接到法院提起诉讼，在诉讼程序中解决纠纷。如果没有上述情况，人民法院经审查认为调解协议符合确认条件的，则应当尽快作出裁定书确认调解协议效力。

在人民法院依法出具确认当事人达成的人民调解确认书有效的法律文书后，人民调解协议即被赋予强制执行力，一方当事人拒绝履行或者未全部履行的，对方当事人可以向作出确认决定的人民法院申请强制执行，以国家强制力来保障人民调解协议内容的实现。这样，当事人在人民调解员的居中协调下达成的处分自身权利义务的人民调解协议就得到了人民法院的确认，具有与法院的裁判结果一样的效力，当事人之间的纠纷得到有效的处理，各方权利义务得以明确，并受到法律的保护。

另外，需要指出的是，当事人处理通过人民调解协议的司法确认程序处分的自己的财产权利不能损害案外人的合法利益，否则，认为自己的权益被侵害的案外人可以自知道或者应当知道自身权益被侵害之日起一年内，向作出确认协议裁定的人民法院申请撤销其确认人民调解协议效力的法律文书。受理申请后，人民法院可在对司法确认特别程序案件事实、程序、适用法律以及是否存在违法违规行为进行审理后，作出是否支持案外人申请的决定。

综上所述，人民调解协议司法确认程序衔接了诉讼与调解环节，简化了纠纷解决程序，缩短了纠纷解决周期，并且以特别程序的形式对人民调解协议的效力给予确认，给人民调解装上了“牙齿”，给面临纠纷的群众以更加简捷经济的解纷方式选择。[①] 司法确认程序推进了人民调解在纠纷解决中的适用率，提高了人民调解制度的效率，倡导了“以和为贵”“平等协商”的理念。人民调解制度适用范围广、效果好、成本低，解决了许多群众的现实问题，对于大部分民事案件，尤其是发生在亲属之间的继承

① 参见江伟：《民事诉讼法》，中国人民大学出版社 2006 年版，第 8 页。

纠纷等案件，节省了时间精力金钱，维系了亲属之间的感情，降低了纠纷处理成本和效果，使社会、家庭更加团结和睦，正所谓“家和万事兴”，在人民群众对美好生活的向往与日俱增的今天，我们有理由相信，人民调解协议司法确认程序将会越来越具有制度活力，必将在当事人的纠纷解决中发挥越来越大的作用。

案例三

遇上老赖怎么办
——债权人的诉讼风险

王飞[①]

诚实信用原则应该是每个人在参与社会经济生活时所需遵循的基本原则，但是实践中却有一些人，为了达成自身短期利益，对己方债务拖、磨、推、赖，使债权人的合法债权难以实现，增加了大家面临的经济风险和交易成本，给他人带来了困扰，也影响了社会风气。如何应对“老赖”成为大家关注的问题，下面我们通过一个案例，来讲解此问题。

案情回顾

老刘在村口开了个“旺源餐馆”，餐馆饭菜可口，菜量大又价格实惠，因临近建筑工地，经常有工人三五成群地过来光顾，生意尚可。一天，包工头老李在餐馆吃完饭后，跟老刘商量，自己建筑队有二十多人，为了方便，想找一个固定的餐馆用餐，但是因为工程款未结，饭费只能先赊账，等到工程款拿到手后再统一算账。老刘盘算着，现在餐馆的生意不好不坏，开业半年多本金还没赚回来，要是有了这样一个大客户，生意和收入一定会上一个台阶，虽然是赊账，但是工地就在餐馆附近，自己跟老李也经常

---

① 北京市西城区人民法院立案一庭法官助理。

聊天，关系不错，应该不会赖账，于是就满口答应了。从此，每天饭点，老李的工程队就来老刘的小餐馆用餐。

日子一晃过了两个多月，老刘一算账，老李已经赊了一万两千多块钱了，本来餐馆就是小本生意，现在又贴进去这么多钱，餐馆运营都快成问题了。老刘便在这天吃饭的时候跟老李提起清账的事。听到老刘要自己还账付款，老李一脸无奈地说道："建筑队现在干了几个月一点工钱都还没收到，我也是给工人们搭钱，现在实在是没钱了，老刘你再宽限几天吧。"为了让老刘放心，老李还说："还有半月工程就结束了，拿到工程款一定先还钱给你，现在我也真是没钱，都投入工程里了。"老刘虽不安心，却也无奈，好在半个月时间也不长，到时候再要欠款也不迟。

到了定好的还款日子，老刘去工地找老李，没想到，工地上空无一人，一打听，原来工程昨天刚结束，人都撤离了，老李的建筑队在昨天傍晚就收拾行李走了。老刘听后一惊，打电话给老李，问是不是想赖账。老李电话里说："怎么可能！我这是赶着下一个工程呢，所以走得急，也没时间找你清账，再说工程款现在我还没拿到，过去了也白搭，没钱还账我也没脸去跟你打招呼，咱们保持联系，工程款一到手我一定把餐馆的账给清了。"老刘心里不痛快，但人已经走了，急也没用，好在还能联系得上，也只能继续催账了。自此老刘每个月都打电话跟老李要账，老李每次也都是那几句话，工程款没拿到，工人要发工资，赶下一个工程，一晃时间过去一年半了，老刘的账还是没要到。

老刘想这样不成，就打电话给老李说有个工程要介绍给他，找个时间当面说。到了约定好的日子，老刘等了大半日老李都没来，直到这时老刘才明白过来，自己是遇到老赖了。但是打过电话去，老李依然是有说有笑，赔礼道歉，说工程临时有事情没赶过去，下次有时间了一定过去还账。老李气得破口大骂，却无济于事。虽然每月老刘还是给老李打电话要账，但也都无功而返，过了一段时间，老李的电话号码竟然也停机了。老刘更加无奈了，只能发短信要账，靠打听到的老李的籍贯去他们村里找，仍是无功而返。最终，老刘没办法，只能到法院起诉老李。

收到法院传票后，老李倒是来了，承认欠了老刘的“旺源餐馆”餐费，但是从事情发生时起时间已经过了三年多了，就算是按照《民法总则》三年的诉讼时效，也已经过了。老李请求法院判决驳回老刘的诉讼请求。老刘气愤极了，说事情是过了三年半，但是欠了的账款不能不还，现在国家正在打击老赖，一定要法院给自己一个说法。

通过老刘提交的由老李签字的账单等证据和双方的陈述，审判长经过对案件的审理已经基本厘清了案件事实，看到情绪激动的老刘答非所问，没有对诉讼时效的问题给予回应，即了解老刘法律知识不足，就依职权给老刘解释了诉讼时效制度，将如果诉讼时效经过而没有中断、中止情形的话其可能面临的败诉风险对其作了说明。

老刘听了法官的释明之后，说到自己每月都打电话要账，几次都当着建筑工地负责人的面，老李也都承认债务，同意还钱，还去老李的老家找过他，之后两年是老李换了手机号，没有联系电话，自己只能给老李发短信要账。现在老李提出诉讼时效的问题，老刘请求法院给予调查时间，补充证据。

最后，在案件开庭时，老刘补充提交了其打电话要账时在场人员的证人证言和自己从移动公司调取的自己与老李的通话记录、短信等证据材料。经过当庭质证，老李承认了老刘曾多次打电话催账的事实。最终法庭经过审理后认定，关于老刘的起诉是否超过诉讼时效的问题，《最高人民法院关于审理民事案件适用诉讼时效制度若干问题的规定》第二十二条规定：“诉讼时效期间届满，当事人一方向对方当事人作出同意履行义务的意思表示或者自愿履行义务后，又以诉讼时效期间届满为由进行抗辩的，人民法院不予支持。”根据证人证言显示，老刘在债务到期后一直在向老李主张权利，老李亦多次承诺会给付账款，应属老李同意履行义务，故老李认为老刘起诉超过诉讼时效的抗辩理由不能成立。

法理分析

（一）何为老赖

生活中，如果有人对自己负担的债务明明有偿还能力，却仍迟迟不肯归还，我们就会称呼其“老赖”。“老赖”并非法律用语，而是日常生活中人们对该一类人的带有调侃性质的称呼，带有贬低的含义，而在法律程序中，即便债权人真的把所谓的“老赖”诉诸公堂，在法庭审理程序中的原告、被告也有地位平等两方，法院居中裁判，根据事实和法律，以法律文书的方式定分止争，明确双方权利义务，即便败诉也仅仅涉及民事义务的承担，而非道德上的谴责。[①] 但是，若债权人与债务人之间已经有生效的法律文书存在，而债务人仍不予履行文书中确定的义务，则会构成违法，在严重情况下甚至涉嫌犯罪，可能会被法院判处“拒不执行判决、裁定罪”，以维护法律的权威和司法机关的正常活动。

法律上，与“老赖”最接近的概念是“失信被执行人”，是指被执行人具有履行能力而不履行生效法律文书确定的义务的人。根据《最高人民法院关于限制被执行人高消费的若干规定》，人民法院可以向其发出限制高消费令，对符合条件的个人或者单位的高消费行为和投资的经济活动采取限制措施。若发现被执行人有高消费行为，查证属实，根据有关规定，可对其予以拘留或罚款，情节特别严重的将追究其刑事责任。

（二）债权人与“老赖”之间的法律关系

债权人（如案例中的老刘）与作为“老赖”的债务人（如案例中的老

① 参见魏振瀛：《民法》，北京大学出版社 2007 年版，第 24 页。

李）之间一般存在着经济纠纷，鉴于现实生活的多样性和复杂性，债权人取得对债务人的债权的基础关系也是复杂多样的，其债权既可能是在买卖合同、服务合同等商品经济的参与环节中产生，也可能是因为人身关系而享有的抚养、赡养义务产生，又可能是因为债务人侵犯债权人人身、财产权益而承担的赔偿义务而产生，还可能是因为不当得利、无因管理等民事行为而产生，还有可能在两人的一次交往中，同时产生两种或者两种以上基础法律关系，可以说，我们面对的现实生活多复杂，与“老赖”之间的法律关系就有多复杂。可能纠纷的表征就是“欠钱”“赖账”，但是要合法合理地处理纠纷，作为纠纷处理各方，必须要抽丝剥茧，发现问题的起源和本质属性，从当事人之间的基础法律关系入手，釜底抽薪，从根本上解决问题。如同上文的案例，老李的建筑队在老刘的餐馆用餐，既有买卖合同的内容又有服务合同的内容，老刘是因同时具有两种性质的“合同”获得了对老李的债权，要处理纠纷就要从合同纠纷的角度确定事实和搜索证据，根据合同纠纷的法律原则对案件进行进一步处理。总之，要处理好与“老赖”的纠纷，确定基础法律关系是第一步，也是极为重要的一步。

（三）与“老赖”纠纷中面临的风险点

在生活中，“欠债还钱，天经地义”的朴素正义观占据人们处理与“老赖”经济纠纷的主导，但是现代社会是法治社会，一切活动必须符合国家法律规划的框架，否则朴素正义的目标也可能得不到法律的支持，致使债权人利益受损，在与违背诚实信用原则的相对方的经济往来中尤其要注意到各种法律风险。下面我们就来总结一下与“老赖”纠纷中面临的风险点：

第一是证据取得和留存的问题。“老赖”的“老”指的是个别债务人面对类似情况的处理惯性，仅仅因为暂时的周转不及而无法偿还债务的人是不能称为“老赖”的，有前科的、很难对其存有如期偿还债务的期待可能性的债务人才是切切实实的“老”赖。这也就是说，在事件刚刚发生时，我们面对的可能就是主观恶意的对手，一个本着诚实信用与人发生经济往来，一个存有恶意拖延赖账之心，双方一明一暗，合法履行自己权利义务的一方若疏忽大意则可能造成严重的后果，如出于信任在对方未出具借条的情况下即出借钱财。这样己方的权益就很难得到保障。另外，纠纷较长的时间跨度也可能为证据的保存带来困难，如因搬家丢失有关纠纷的关键证据等情形。

第二是诉讼时效的问题。即便我们享有合法的权利，但是诉讼时效制度的存在使我们请求人民法院通过判决的形式保护自身的权利受到法定时间界限的限制。诉讼时效是指权利人在法定期间内不行使权利即丧失请求法院依法保护其民事权利的法律制度。如果诉讼时效届满，虽然人民法院会受理债权人的起诉，但是其胜诉权却消灭，如果在审理过程中，对方提出诉讼时效已经超过的抗辩，而债权人又提供不了诉讼时效中止、中断、延长的法律事由，甚至发生超出最长诉讼时效的情况，债权人的合法权益保护就将很成问题。

第三是维权费用的问题。时间的跨度、案件的复杂性使债权人必须花费大量的时间、精力、金钱来保障自己的权利。这就增加了双方的交易成本和社会成本。而“老赖”则获得短期的利益。

第四是诉讼风险的问题。诉讼中法院裁判的依据是当事人双方的证据，原被告根据举证规则承担举证责任，不同于我们亲身经历的事件，法律的视野里看到的是当庭出示的证据所显示的法律事实。裁判所依据的规则是法律规则，可能会尽量接近实质正义，但由于证据等问题，二者可能会发生并非完全统一的情况。这就造成了债权人的诉讼风险。

在本案案例中，老刘在向“老赖”主张权利的过程中就一度面临着很大的风险。老李长期拖欠老刘餐馆的餐费，时间长达三年半，确实距离债务发生拖欠状况的时间点，或者说，以法律上规定的表述“权利人知道或者应当知道权利受到损害以及义务人之日起”，超过了《民法总则》第一百八十八条规定的三年诉讼时效期间。案件审理中，老李也提出了诉讼时效抗辩，若老李的抗辩得到法院的认可，法院就将判决驳回老刘的全部诉讼请求。如此，老刘不仅面临着餐费无法得到法院保护的风险，还要承担案件的诉讼费用，且之后即便其再重新起诉法院也将不予受理，在案例展示的老李明显就是“老赖”的情况下，其本来合法的权利将很难再得以实现。

本案争议的主要焦点就是老刘主张的对老李因赊账而产生的债权的诉讼请求诉讼时效期间是否已经届满。案例中因为老李在老刘的餐馆里用餐，双方是一种合同关系，从老李拖欠餐费时起，老刘即就所欠餐费对老李享有了债权请求权，用大白话说就是老刘可以跟老李要账，这种请求不仅符合情理而且合法，在正常情况下应当受到法律的保护，若向法院提起诉讼，一般情况下法院会判决债权人即老刘胜诉，但是在事情历时太久的情况下，诉讼时效制度的存在给老刘的维权之路蒙上了阴霾。

案例中，老李主张老刘的起诉距离债务发生时间已经超过了三年半，超过诉讼时效。而老刘经过法官释明诉讼时效制度后，针对老李诉讼时效期间已经届满的主张，补充提交了证人证言以及双方通话记录等来证明自己多年来一直主张自己的权利，从未放弃对被告主张债权，即便是之后老李原手机号停机导致其无法直接联系和通话，但是老刘仍发送短信，并到老李籍贯所在地寻找老李，后来上述方法均归于无效后到法院提起诉讼，三年半时间里一直主张自己的权利，而老李一直推脱、拖延，证人证言也证明老李承认债务，并且请求宽限债务还款期限。之后老刘联系不到老李也是因为老李更换手机号，而未通知老刘，不利后果不应归于原告老刘，故法院认为该案中老李在已经向老刘作出同意履行义务的意思表示或者自愿履行义务后，现在又以诉讼时效期间届满为由进行抗辩，法院不予支持其抗辩主张，故法院判决老李仍需偿还欠款并支付利息。

知识拓展

什么是诉讼时效制度呢？如同上文所述，诉讼时效制度是指权利人在法定期间内不行使权利即丧失请求法院作出判决保护其民事权利胜诉权的法律制度。此项制度与我国民间谚语“欠债还钱，天经地义”，乃至“父债子偿”所蕴含的精神是存在一定程度的背离的，这也是许多人面对诉讼时效措手不及，无法理解的原因。但是诉讼时效制度在西方法制中有着十分重要的地位，如果要用一句话来描述该制度的价值取向的话，那就是“法律不保护躺在权利上睡觉的人”，[①] 即在市场经济日益重要的今天，考虑到保护交易安全和维护社会经济关系的稳定，以失去请求法院以其具有强制力的裁判保护自身权益胜诉权的代价来督促权利人尽快主张自己的权利。

诉讼时效制度经过千百年的发展已经有一套完整的制度体系，《民法总则》第一百八十八条明确规定：“向人民法院请求保护民事权利的诉讼时效期间为三年。法律另有规定的，依照其规定。诉讼时效期间自权利人知道或者应当知道权利受到损害以及义务人之日起计算。法律另有规定的，依照其规定。但是自权利受到损害之日起超过二十年的，人民法院不予保护；有特殊情况的，人民法院可以根据权利人的申请决定延长。”

该制度并非完全不顾及债权人的利益，而是试图在保护债权人权利和社会秩序稳定之间寻求平衡。原先在我国《民法通则》中规定的普通诉讼时效为二年，现在在新制定实施的《民法总则》中，普通诉讼时效延长为三年，并取消了短期诉讼时效，即体现了对债权人利益加强保护的倾向。而且，现行诉讼时效期间的规定由于有诉讼时效的中止、中断和延长等规定，也可以使债权人的权益得到有效的保护。

诉讼时效的中止，是指在诉讼时效期间的最后六个月内，发生法定阻

---

① 参见李龙：《西方法学经典命题》，江西人民出版社 2006 年版，第 55 页。

碍事由后对诉讼时效期间予以暂停计算，阻碍事由消除后继续计算未届满的诉讼时效。可以造成诉讼时效中止的情形有：（一）不可抗力；（二）无民事行为能力人或者限制民事行为能力人没有法定代理人，或者法定代理人死亡、丧失民事行为能力、丧失代理权；（三）继承开始后未确定继承人或者遗产管理人；（四）权利人被义务人或者其他人控制；（五）其他导致权利人不能行使请求权的障碍。自中止时效的原因消除之日起满六个月，诉讼时效期间届满。

诉讼时效的中断是指在诉讼时效进行中，发生法定事由时，已经进行的诉讼时效期间全部归于无效，诉讼时效期间重新计算的法律制度。可以造成诉讼时效中断的法律后果的情形有：（一）权利人向义务人提出履行请求；（二）义务人同意履行义务；（三）权利人提起诉讼或者申请仲裁；（四）与提起诉讼或者申请仲裁具有同等效力的其他情形。

诉讼时效的延长，是指虽然发生了诉讼时效期间的届满，权利人基于正当理由向人民法院申请延长法定时限，人民法院认为有必要而延长法定时效期间的制度。

另外，法律还规定了最长的诉讼时效期间，即自权利受到损害之日起超过二十年的，人民法院不予保护；有特殊情况的，人民法院可以根据权利人的申请决定延长。

综上，三年一般诉讼时效和以上关于中止、中断、延长诉讼时效的规定共同构成了诉讼时效的基本制度，利用得当可以有效规避法律风险，切实保障自己的权利，否则，若忽视了诉讼时效可能会造成自身权益的重大损失。最后需要指出的是，诉讼时效并非针对所有请求权，因为下列事项产生的债务，权利人请求法院保护其合法权益即不受诉讼时效的限制：（一）请求停止侵害、排除妨碍、消除危险；（二）不动产物权和登记的动产物权的权利人请求返还财产；（三）请求支付抚养费、赡养费或者扶养费；（四）依法不适用诉讼时效的其他请求权。

普法提示

虽然一些当事人为谋求私利，甘当“老赖”，加大了我们在社会生活和经济交往上的风险，但是只要我们了解法律，遵守法律，提高对法律风险的防范意识，我们就能充分保护好自身的权益，让“老赖”无法赖，无从遁形。

第一，要增强法律意识，增强依法办事观念。预则立，不预则废，在日常生活中，尤其是涉及重大金钱往来时，要提升防范意识，以法律规定标准规范双方的行为，坚持依法办事，坚守守法底线，切勿火中取栗。

第二，存留证据，固定法律事实。增强证据意识，在进行民事活动时，保存相应证据材料，做到处处留痕；重视证据的保存，防止出现因为发生意外状况造成证据的毁损的风险。

第三，及时主张权利。在自己的合法权利遭受侵害时，要尽快采取措施，可以在法律规定的范围内自力救济，以合理合法的方式主张自身权利；也可以采取提起诉讼等公力救济方式。避免拖、等、靠，对自己造成更大的法律风险。

第四，善于寻求专业帮助。法律浩如烟海，普通人很难对法律制度了解得透彻，即便法律专业人士也往往很难通晓每项法律，这就要求我们在提高自身法律素养的同时还要学会寻求专业帮助，借助外部力量维护自身权益。

“老赖”可气但并不可怕，只要我们提高防范意识，增强法律观念，时时讲法律，处处守规矩，随着法律制度的健全和国家对合法权益保护力度的增强，“老赖”必将无所遁形。

第二章

家庭生活

案例一

宅基地能否被继承

——解析宅基地继承问题

颜九洲①

案情回顾

王阿姨在顺义区有一块宅基地。1986 年，这处宅基地上盖了五间房屋，王阿姨和她的大女儿邓兰及邓兰的丈夫邵明在宅基地上居住。小女儿邓梅虽不与王阿姨同住，但常回家看望老人，一家人其乐融融。

好景不长，2000 年王阿姨去世后，邓梅多次要求按照法定继承的方式分割母亲留下的宅基地，邓兰对此要求未予理会。邓梅认为邓兰强行独占邓梅应该分得的合法财产权益，故将其诉至法院，请求法院判令自己与姐姐邓兰共同继承王阿姨位于北京市顺义区的宅基地及地上房产。

邓兰应诉后主张涉诉宅院是祖产，在 1986 年建房之前是三间小土房，后由邓兰夫妇出资修建成现有房屋。王阿姨和邓梅均未参与出资建设。

审理中，邓梅认可该宅院是祖产，称一直是空地，在 20 世纪 60 年代建有两间棚子。邓梅主张在 1986 年建房的时候，其出资购买了 24000 块红机砖，每块 0.17 元，共花费 4080 元。为佐证该事实，提供一张标注日

① 北京市西城区人民法院信访办法官助理。

期为1986年4月5日的收据及一张标注日期为1986年4月1日的出库单。邓兰认为这些单据都是假的。邓梅之子出庭作证，证明在20世纪80年代，其母亲曾让他带路，给邓兰家拉过砖。邓兰认为邓梅之子撒谎。邓兰为证明自己主张的事实，提供了村委会证明，内容为：诉争宅基地是1984年村委会批给邵明、邓兰夫妇使用，1986年邵明、邓兰夫妇在宅基地上建房五间并居住至今。1986年建房时，王阿姨虽与大女儿邓兰一起生活，但时年已78岁，建房时未出资出力。1993年政府确权宅基地时，因邓兰家有两块宅基地，所以就误登在其母王阿姨名下，实际使用人为邵明、邓兰夫妇。邓梅不认可村委会证明的真实性，称村委会不可能知道这些情况。邓兰又提供四名1986年建房时的工人出庭作证。四名工人证明建房时是从顺义本地购买的一万块砖，建房是邵明、邓兰夫妇出资。其中一名工人证实在涉诉宅院内原来是有两间旧房，但是拆了以后的旧料均没有用上。

原审法院经审理后认为，宅基地使用权人虽然登记在王阿姨名下，但并不属于王阿姨的遗产。涉诉房屋并非王阿姨出资建造，之前房屋旧料也未用于房屋建设，不能认定新房中有王阿姨的份额。因此法院判决驳回邓梅的诉讼请求。邓梅不服判决，提起上诉。二审法院裁定驳回，维持原判。

法理分析

随着农村人地矛盾日益加剧，宅基地使用权的市场价值逐渐被更多人发现，围绕宅基地使用权引发的诉讼纠纷也渐渐增多。而现阶段我国法律并没有直接明确规定宅基地使用权能否继承。针对宅基地使用权，我国宪法第十条规定了宅基地归集体所有，土地使用权可以依法流转，在宪法层次上确定了宅基地所有权和使用权的归属、流转制度。2007年《物权法》出台，该部法律对我国各项物权制度作出了系统性规定，明确了宅基地使用权、用益物权的属性，规定了宅基地使用权的取得、行使和转让，适用土地管理法等法律和国家有关规定。《土地管理法》详细规定了申请、审核、审批取得宅基地使用权所需要遵守的规则，但也没有直接谈到宅基地使用权能否继承的问题。

在实践中，农村宅基地上房屋一直是农村人口的重要财产之一。老人去世，子女对老人生前房屋进行分割也早已司空见惯。分割房屋后，房屋所有权人自然占有使用了该宅基地使用权。

正因为法律没有明确规定宅基地能否继承，而现实中出现了一些因继承而占有宅基地的情况，一部分人产生了宅基地使用权可以依法继承的认识。在这种认识的基础上，遗产继承纠纷一旦涉及宅基地使用权及地上房屋，涉案人往往会将此类问题交由法院裁决。但根据现有法律制度，宅基地使用权并非被继承人个人遗产，不能被继承。而且就我国当前城乡二元经济结构和宅基地使用权自身的特性而言，也不适宜被继承。

（一）不在法律继承范围内

《物权法》《土地管理法》虽没有明确禁止宅基地使用权继承，但能否继承还需要看宅基地使用权是否在我国公民死后遗产继承范围内。《继承法》第三条对我国公民死亡继承的范围作出了规定，遗产是公民死亡时遗留的个人合法财产，包括：（一）公民的收入；（二）公民的房屋、储蓄和生活用品；（三）公民的林木、牲畜和家禽；（四）公民的文物、图书资料；（五）法律允许公民所有的生产资料；（六）公民的著作权、专利权中的财产权利；（七）公民的其他合法财产。

前六项内容不包含宅基地使用权。第七项是一个概括性条款，将公民的其他合法财产纳入公民遗产范围。《最高人民法院关于贯彻执行〈中华人民共和国继承法〉若干问题的意见》（以下简称《继承法意见》）对第七项进行了阐述，将公民可继承的其他合法财产解释为包括有价证券和履行标的为财物的债权等。虽没有明确将宅基地使用权纳入其中，但只要宅基地使用权属于公民个人合法财产，也可看作《继承法意见》中“等”的行列。不过，在我国宅基地使用权并不是公民个人财产。

《土地管理法》第六十二条第一款规定：“农村村民一户只能拥有一处宅基地，其宅基地的面积不得超过省、自治区、直辖市规定的标准。”尽管宅基地使用权人通常登记在户主名下，但并不否认同户的其他成员共同共有该宅基地使用权。共同共有以共有关系的存在为前提，因共同关系的产生而存在，因共同关系的消灭而消灭。在共同共有关系存续期间，家庭成员对宅基地使用权享有平等权利，负担平等的义务，家庭成员之间不产生份额的问题。因此，在被继承人死亡时，宅基地使用权属于该户家庭共有财产，不在公民个人财产范围内，不能被继承。

（二）与现有城乡二元经济结构相冲突

我国实行城乡二元化的户籍制度，从法律意义上区分了农业户口和非农户口，构筑了两者的差别，进而形成城乡二元化的经济结构。集体经济组织内部的土地承包权、宅基地使用权都将集体经济组织外部人员排除在外。就宅基地使用权而言，土地管理法明确将宅基地使用权人限定为农村村民，不具有集体经济组织成员资格的不能申请获得宅基地使用权。宅基地使用权是集体经济组织内部的权益，在继承法中并没有区分继承人是否是集体经济组织内部成员。如果允许宅基地使用权被继承，宅基地使用权很可能会由集体经济组织成员以外的人获得。尽管法定继承人都是被继承人的亲属，宅基地使用权流转的范围相对较小，但继承法中还允许被继承人将个人财产遗赠给法定继承人以外的个人，这将导致宅基地使用权的归属完全脱离集体经济组织成员范围。

城乡二元经济结构主要表现为城乡之间的户籍壁垒，两种不同资源配置制度，以及在城乡户籍壁垒基础上的其他问题。宅基地使用权申请人限定为集体经济组织内部成员正是此种经济结构的表现。而宅基地使用权的继承很有可能会将本属于集体内部的财产权益置于集体经济组织以外，不受集体经济组织控制。这不仅是集体经济组织的财产损失，也是对集体经济组织成员利益的损害，最终会损害城乡二元经济结构的基础。

（三）宅基地使用权的特性不适宜作为遗产

第一，宅基地使用权具有人身依附性。土地管理法将宅基地使用权申请人限定为农村村民，宅基地使用权的获得与集体经济组织成员资格密切相关。宅基地使用权人因其集体经济组织成员资格而享有使用权，使用权也依附于宅基地使用权人本身。不仅要求宅基地使用权人只能由集体经济组织成员所享有，还要求被继承人死亡后宅基地使用权不仅不能由集体经济组织成员以外的人继承，也不能由本集体经济组织成员继承。

人身依附性在强调使用权人成员资格的同时也限定了使用权的转移。宅基地归国家所有，被继承人因为自身资格的原因申请获得使用权，该使用权依附于被继承人个人而存在，由一户家庭共同享有。宅基地使用权是专属于被继承人本人的财产权利，使用权人可以出租、出卖宅基地上房屋，但并不能直接出卖、出租该宅基地的使用权。即使被继承人作为该户家庭唯一成员死亡，其死亡后共有关系消灭，该份宅基地使用权也应因其依附性而消灭，不能被继承。

从继承法上来说，继承权属于人身权，所有继承人平等地享有相同的继承权。不能因户籍不同而剥夺非集体经济组织成员的继承资格。继承权不会因户籍不同而有所差异。

第二，宅基地使用权具有无偿性。从我国现有法律来看，宅基地使用权人取得宅基地使用权时不需要支付使用权费，在使用权人符合要求的情况下不受任何时间限制免费享有使用权。因宅基地使用权是无偿取得的，宅基地使用权的流转、取得应当区别于普通物权，比如限制宅基地使用权不得出租、转让，将宅基地上房屋出租、转让后不得再次申请宅基地等。否则无偿取得的财产进入市场转换为经济利益，将会带来不公。不仅对同一市场内非集体经济组织成员无法获得该份收益而言是不公平的，对本集体经济组织成员而言，申请到的相对于未申请到的，申请到不同位置的都会因获得利益不同而产生不公。

第三，宅基地使用权在功能上具有福利性。国家为保障农民居住权，对农村的资源进行特殊配置，从而使农民基于其特殊身份取得农村宅基地的使用权，宅基地使用权成为农民独享的带有社会保障性质的权利。该份权利为保障农民基本的居住需求而设立，对使用权人有特定的指向性，不能随意变更。如果允许宅基地使用权通过继承等方式流转，必然会造成部分宅基地集中在不缺少居住保障或者不在集体经济组织保障范围之内的人手中，这份福利性权利的保障作用将会大大降低，也与其福利性相抵触。目前中国农村的经济发展水平还远低于城市，即使允许宅基地使用权自由进入市场，农民能够通过转移宅基地使用权获得的收益也十分有限。与有限收益相对应的将是农民失去延续数十年赖以生存的房屋，彻底失去在农村的基本居住保障。失房农民涌进城市，依靠他们自身有限的教育和技术水平很难在竞争压力巨大的城市生存，最终大部分还是要沦为城市边缘人群。到那时，农村廉价宅基地已经被他人获得，农民们无法再回到农村，在城市又很难融入高速发展的经济社会，他们很有可能成为社会发展的牺牲品，造成更大的社会问题。

农村发展不能是简单的传统农民离开，“新农民”进入。当前市场经济中，农民处于绝对劣势。贸然打破农村福利保障屏障，将农民财产引入市场交易，并不是给予农民财产公平的市场待遇，而是将农民引入新一轮的不平等交易。以农村现有的经济发展状况，宅基地使用权的福利保障性质还十分明显，宅基地还是农民不可或缺的生存资源。不过，相信随着农村不断发展，农民物质财富不断丰富，宅基地使用权的福利保障性质会逐渐降低，宅基地也不再是农民必要的生存资源，那时宅基地使用权继承、流转的放开才不会对农民造成过大影响，也更与农民自身需求相匹配。

农村宅基地属于村集体所有，村民只享有土地使用权，该使用权具有人身依附性、无偿性、福利性，并非公民的个人合法财产。就本案而言，邓梅主张继承王阿姨名下的宅基地，缺乏法律依据，法院判决驳回诉讼请求并无不当。

知识拓展

看到上述论断，很多人可能会产生下列疑问：既然宅基地使用权无法继承，那是不是就意味着被继承人去世后宅基地将被重新收归集体所有？宅基地上房屋又该如何处理，能否继承？继承后如何办理权利登记？接下来，我们将对上述问题展开陈述。

（一）被继承人所建房屋的继承问题

根据《继承法》第三条，房屋包含在我国公民死亡继承的范围内。尽管宅基地所有权属于集体经济组织，宅基地使用权属于一户农民共同共有，都不是被继承人个人财产，但是宅基地上房屋是被继承人利用自身财产和汗水建造起来，在被继承人个人财产之列。不管继承人是否是本集体经济组织成员，都有平等的资格继承被继承人遗留下来的房屋。

（二）继承房屋后宅基地使用权登记问题

房屋继承带来了新的问题。宅基地使用权不可以继承，宅基地上房屋却可以继承，这会导致房屋所有权人与宅基地使用权人不相符的局面出现。与我国“房随地走，地随房走”的原则相违背，势必会给宅基地使用权人与房屋所有权人带来矛盾争议。宅基地使用权人空享使用权人之名，却因其不享有房屋所有权而无法行使使用权。房屋所有人虽拥有房屋，却因房屋建设在他人土地使用权之上而给他人合法权利行使带来妨碍，有被要求承担法律责任的风险。

为解决此项问题，我国制定了一系列行政法律法规加以规制。《确定土地所有权和使用权的若干规定》第四十九条规定，继承房屋取得的宅基地，可确定集体土地建设用地使用权。国土资源部、财政部、农业部联合下发的《关于农村集体土地确权登记发证的若干意见》第六条规定，已拥有一处宅基地的本农民集体成员、非本农民集体成员的农村或城镇居民，因继承房屋占用农村宅基地的，可按规定登记发证，在《集体土地使用证》记事栏应注记“该权利人为本农民集体原成员住宅的合法继承人”。通过继承获得宅基地上房屋的非本集体经济组织成员，因其享有房屋所有权，确权时可以登记为宅基地使用权人，但需要备注加以说明。继承人继承房屋后，按照法律规定可以确权登记为宅基地使用权人。

（三）登记为宅基地使用权人后的权利限制问题

通过将房屋所有权人登记为宅基地使用权人，房地权利人不统一的问题得以解决。但将集体经济组织成员以外的人登记为宅基地使用权人并不意味着将会享有与他人一般无二的宅基地使用权。继承人获得宅基地使用权不是因继承获得，而是因为继承人获得了宅基地上房屋，取得了房屋所有权，为避免房地权利人不一致带来矛盾纠纷，方才授予宅基地使用权。继承人获得宅基地使用权的依据是房屋所有权，房屋所有权灭失则宅基地使用权也一起消灭。集体经济组织以外的人员因继承获得房屋所有权，继而获得宅基地使用权的情况与已拥有一处宅基的本集体经济组织成员在继承中获得宅基地使用权的情况相同。同样都是按照法律规定无法申请获得宅基地使用权，但都因获得房屋所有权而享有宅基地使用权。对于这类集体经济组织成员，《确定土地所有权和使用权的若干规定》第五十一条规定，在以后分户建房或现有房屋拆迁、改建、翻建或政府依法实施规划重新建设时，按当地政府规定的面积标准重新确定使用权，其超过部分退还集体。以此类推非本集体经济组织成员因继承获得宅基地的，在现有房屋拆迁、改建、翻建、政府依法实施规划重新建设时，也要按照法律规定重新进行确权登记。这是在保障继承人获得房屋所有权所需的基本宅基地使用权需求后，对宅基地使用权进行了限制。

被继承人所建房屋属于个人合法财产，可以由继承人平等继承。就本案而言，根据村委会证明及原宅基地建房许可证记载，乡人民政府于 1984 年批给邓兰的丈夫邵明建房许可证后，邵明、邓兰夫妇在此建房并与王阿姨居住该房。现邓梅主张所建房屋系邓梅、邓兰共同出资为王阿姨所建，其未能举出合法有效证据推翻邓兰所举证据。为此，邓梅主张 1986 年所建房屋系王阿姨遗产证据不足，法院未能支持其诉讼请求并无不当。

普法提示

宅基地使用权不是遗产，不能被继承。宅基地归集体经济组织所有，并非个人财产。为满足成员居住需求，集体经济组织将宅基地使用权以福利保障的形式无偿授予本集体经济组织成员所在家庭，宅基地使用权归该户家庭成员共同享有，各成员享有平等权利，承担平等义务，并非被继承人个人财产，无法纳入遗产之列。不仅本集体经济组织成员以外的人无法继承，本集体经济组织成员也无法继承。但是，宅基地上房屋是由被继承人建造，被继承人享有完全的所有权，可以由继承人继承。

继承人可以因其拥有被继承房屋所有权而登记为宅基地使用权人。但如果继承人已在本集体经济组织拥有一处宅基地，或者继承人并非本集体经济组织成员，在房屋灭失、拆迁、改建、翻建、政府依法实施规划重新建设时，就需要按照法律规定重新进行确权登记。

因此，在遗产继承纠纷中，继承人不应将宅基地使用权的登记、分割问题纳入诉讼请求范围内。宅基地使用权并非遗产，该问题不是遗产继承纠纷案件讨论问题，法官不会就此作出裁决。继承人可以针对被继承人生前所留房屋提起诉讼，在法院作出裁决后到行政机关办理确权登记。

案例二

乡村房屋租赁

——解析乡、村庄房屋租赁效力与优先购买权

苏相中[①]

我国经济进入了中高速发展的新常态，原有城乡二元结构体系逐步调整，特别是在土地、房屋方面面临着新课题。一方面，产业结构不断调整，第二、第三产业蓬勃发展，从业人口数量快速增长，农村人口向城市大量涌入，房屋租赁的需求日益旺盛；另一方面，随着城市化进程的加深，城市周边村镇的房屋也纷纷投入房屋租赁市场。房屋的使用应当与房屋用途、房屋性质保持一致。在令人眼花缭乱的房屋租赁市场中，房子要想租的安心，还需要懂得房屋租赁法律知识。

案情回顾

苏大誓与佛胤是相识多年的好友。正月初一，苏大誓与佛胤签订了《房屋租赁合同》，约定苏大誓将其所有的位于北京市江海区故垒村定慧院的房屋出租给佛胤用于经营；租赁期限为一年，自正月初二起算，月租金为500元；合同签订日支付订金500元；正月初二支付押金500元，以及第一季度租金1500元；迟延支付租金将承担违约金；待租赁期限届满，结清佛

---

① 北京市西城区人民法院立案庭速裁团队法官助理。

胤在租赁期内的一切费用并将房屋移交给苏大誓后，苏大誓退还押金。合同签订后，佛胤于当天交纳了订金。正月初二，苏大誓向佛胤交付了涉案房屋；佛胤交纳了押金及第一季度租金。

庭审中查明，涉案房屋是建设在苏大誓的宅基地之上的“小产权房”，仅有村民委员会颁发的“房屋所有证”。涉案房屋至庭审辩论终结时还未取得建设工程规划许可证。

二月初二，苏大誓通过中介逆旅公司告知佛胤要出售涉案房屋，佛胤表示考虑一下是否购买。二月初九，苏大誓未通过逆旅公司，自行与其同村弟苏辙签订了房屋买卖合同，出售了涉案房屋，但约定，苏大誓保留收取租金的权利。

四月初二，苏大誓来找佛胤收第二季度租金，佛胤拒绝交纳第二季度租金。苏大誓于四月十二向法院起诉。

本案法律关系示意图

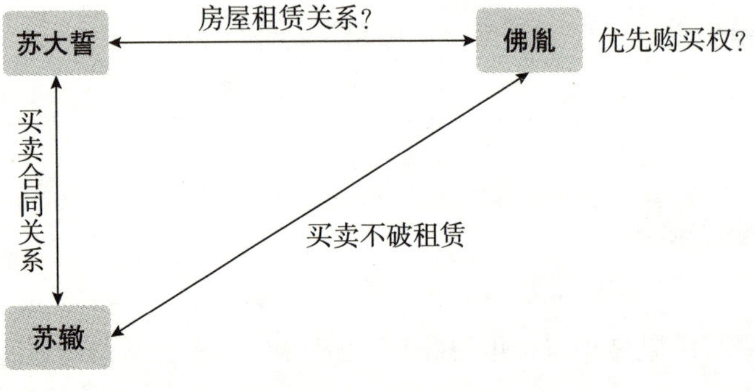

本案的法律关系如上图所示，苏大誓与佛胤之间的房屋租赁关系状态，是我们关注的一个问题；佛胤能否主张优先购买权，是我们关注的另外一个问题；可以明确的是，苏大誓与苏辙的买卖合同关系有效，并且，本案适用买卖不破租赁规则。

苏大誓认为，房子是自己的，怎么处分房子是自己的事，租赁合同只能约束租赁行为，不能约束买卖行为。佛胤不交房租，所以《房屋租赁合同》

应当解除；佛胤应当承担自四月初二至实际支付之日所拖欠的租金及违约金。

佛胤则认为苏大誓利欲熏心，在未明确获得其拒绝的情况下，擅自出售涉案房屋，侵害了自己的优先购买权，不应承担违约金；此外，租赁合同解除后，苏大誓应当退还其订金、押金。

经法院审理判定：

一、苏大誓与佛胤签订的《房屋租赁合同》无效；

二、佛胤给付苏大誓自四月初二起至涉案房屋实际返还之日止，扣除订金及押金的房屋使用费；

三、驳回苏大誓的其他诉讼请求。

法理分析

本案的争点有二，分别是合同效力与优先购买权。

对于合同效力，主要涉及的法律是《合同法》；本案涉及的条文包括第四十四条、第五十二条、第五十六条。涉及的司法解释是《最高人民法院关于审理城镇房屋租赁合同纠纷案件具体应用法律若干问题的解释》（以下简称《租赁司法解释》）的第一条和第二条。

对于优先购买权，涉及《合同法》第二百三十条，及《租赁司法解释》的第二十一条、第二十二条、第二十三条、第二十四条。

（一）合同的效力

合同有效的条件一般有四[①]：

1. 当事人具备相应的民事行为能力。限制民事行为能力人可以自主订

① 参见韩世远：《合同法总论》，法律出版社 2011 年第 3 版，第 157~167 页。

立与其民事行为能力相应的合同；其他的合同以及无民事行为能力的人订立的合同，均需要其监护人的确认；

2. 当事人的意思表示真实无瑕疵，即不存在重大误解、欺诈、胁迫、乘人之危等情形；

3. 不侵害国家利益或第三人合法利益，不违反法律规定，不违反公序良俗；

4. 合同标的需确定且可能，即合同的目的能够实现。

本案中，合同当事人苏大晢与佛胤均为完全民事行为能力人，就涉案房屋的租赁存在有效的一致意思，合同标的明确，且能够实现租赁的目的。

但存在违反法律规定的情形。

《合同法》第五十二条第五项规定，违反法律、行政法规的强制性规定的合同无效；其次，《租赁司法解释》第一条确定了该司法解释能够适用于乡、村庄规划区内的房屋，第二条规定了至一审辩论终结前未取得建设工程规划许可证的房屋，租赁合同无效。

无效的合同自始无效、当然无效、确定无效。[①] 这是说无效的合同自成立之时就不会发生法律效力；无需任何人主张，也无需法院或仲裁机构宣布其无效；无效合同对任何人均无效，不可能转化为有效合同。由于房屋租赁合同无效，在苏大晢与佛胤之间自始不存在房屋租赁关系，佛胤占有、使用房屋只是一种事实行为，应当向苏大晢支付房屋使用费，而非租金。由于合同无效，违约金的约定自然无效。

故而在本案中，应当根据实际发生的金额对双方之间所需相互支付的钱款进行核算。

本案中苏大晢的房屋系“小产权房”，为乡、村庄规划区内的房屋，一直没有取得建设工程规划许可证，因此就该房屋订立的租赁合同是无效

① 参见韩世远：《合同法总论》，法律出版社 2011 年第 3 版，第 168~169 页。

的。因此，不存在苏大暂所主张的合同解除的问题。

小产权房的出现根源于我国的二元土地所有制。《土地管理法》第八条与第六十二条规定，农村宅基地属于集体所有，村民享有使用权，不能将其出售给本村组织外的人。在实践中，小产权房在本村组织成员之间流转受到法律的保护，对外出售则不受法律保护。但是，小产权房能够对外租赁。因为村民有权利以租赁的方式处分自己所有的宅基地，该处分也及于宅基地上所附着的房屋。只是村民在出租后，不能另行取得新的宅基地。

（二）优先购买权

由于合同无效，佛胤自然也不享有法定的优先购买权，故其主张不能得到法院支持。

但是，如果合同有效，佛胤是否能够主张苏大暂侵害了其优先购买权呢？

本案中佛胤同样不能主张优先购买权。

所谓优先购买权，是民事主体在特定买卖的同等条件下，依法享有优先于他人购买财产的权利。优先购买权是一项法定权利，无需当事人单独约定；除非承租人明确表示放弃。

法律规定优先购买权的目的在于维持房屋使用的稳定。

但是基于维护社会关系稳定、资源配置优化、共有人物权优先于承租人债权等方面的考虑，房屋共有人行使优先购买权时，承租人的优先购买权不能被支持；基于考虑亲情因素，出租人将房屋出卖给近亲属，包括配偶、父母、子女、兄弟姐妹、祖父母、外祖父母、孙子女、外孙子女时，承租人的优先购买权不能被支持；基于善意取得制度，在第三人善意取得的情形下，承租人的优先购买权不能被支持。

本案中，由于小产权房只能在同村组织成员之间流转，且苏大暂将房屋转让给自己的近亲属，故佛胤不能主张优先购买权。

（三）责任的承担

在本案中，由于涉案房屋欠缺建设工程规划许可证而导致合同无效。对于这一事实，苏大誓是明知且未主动告知佛胤的；佛胤在租赁房屋时也负有审慎义务，即全面地调查了解合同标的，但是佛胤没有尽到这一义务。对于合同无效，苏大誓承担主要责任，佛胤承担次要责任。

当然，如果佛胤事先明知这一事实，那么佛胤与苏大誓将各承担 50% 的责任。

合同无效导致的是缔约过失责任，即由于当事人违反先合同义务而所致的责任。先合同义务是指当事人为缔约而磋商时，基于诚实信用原则而产生的通知、保护、照顾、保密等义务。苏大誓没有告知佛胤房屋的真实情况，佛胤没有尽到审慎义务，双方共同承担缔约过失责任。

具体到房屋租赁合同中，出租人的损失一般是房屋占有使用的损失、受到损害的损失，承租人的损失一般是装修及为履行合同添置物品、购置货物产生的损失。而至于房屋空置期损失、预期利润等合同正常履行可能产生的收益，并不在缔约过失责任赔偿之列。

因此，本案中，佛胤应当返还房屋，承担房屋使用费；苏大誓应当返还冲抵房屋使用费用后剩余的订金与押金。

知识拓展

（一）优先购买权[①]

优先购买权的基本特征是：

① 指承租人的优先购买权，即《中华人民共和国合同法》第二百三十条所规定的权利。

第一，它是一种法定的权利，是由法律直接规定的。

第二，它是承租人所享有的对出租人出卖房屋的请求权，因此，出租人出卖租赁的房屋时必须及时通知承租人。这种请求权是一种请求债权，不是直接对物享有权利，也不能直接对抗第三人，优先权行使前不影响出卖人与其他人进行协商。

第三，它是专属于承租人的权利，这种优先权不能通过转让或者继承转移至他人。

第四，它是一种附条件的权利，即以同等条件为前提。

优先购买权的实现需要具备下列条件：（1）在租赁合同的存续期间；（2）在同等的条件下购买，即承租人与其他购买人在买卖条件上等同，包括买卖的价格、付款的期限和方式等；（3）必须在一定期限内行使，一般而言，在出租人通知承租人时，承租人应当于15日内表示是否以同等条件购买，未明确表示购买的，视为放弃优先购买权。

承租人仅租赁房屋部分，出租人整体转让房屋，该房屋为不可分割或分割明显降低其整体价值，而承租人不得仅要求对其承租的部分房屋行使优先购买权的。承租人如果要主张优先购买整体房屋，其承租面积应当达到整体房屋面积50%以上。

承租人经出租人同意转租租赁房屋的，承租人不再享有优先购买权，次承租人享有优先购买权。未经出租人同意转租租赁房屋，承租人或者次承租人均不享有优先购买权。

承租人主张优先购买权的方式，一般是主张出租人赔偿损失，对于能否主张与出租人成立房屋买卖合同关系，目前尚无明确法律规定。从《租赁司法解释》第二十二条、第二十三条的规定来看，承租人可以主张。但是，为了防止承租人无购买力滥用优先购买权，此时法院会要求承租人提供一定数额的定金或担保。

（二）“建设工程规划许可证”与农村土地的经营使用

建设工程规划许可证是城乡规划行政主管部门依法核发的，确认相关建设工程符合城市规划要求的法律凭证。1989 年《城市规划法》第四十条确立了城市建设工程规划许可制度。2008 年，《城乡规划法》取代了《城市规划法》，保留了该制度。对于租赁合同的效力，《合同法》第七条和第五十二条要求合同必须遵守法律、行政法规的强制性规定。

事实上，未取得行政许可进行建设的房屋及其他建筑规避了国家对于城乡规划体系、建筑产品质量、房地产市场的监管，损害了国家和社会的公共利益。

农村集体所有的土地仅可用于农业，宅基地只能用于村民居住。只有经过土地部门审批，通过土地征收程序将土地转变为建设用地后，才能用于商业经营。

（三）租赁合同中的“五金”

第一，“押金”是承租人在租金之外，另外付给出租人的一笔钱，用以确保承租人按照约定交付租金、确保房屋的正常使用，具有担保房屋租赁合同正常履行的意义。

第二，“订金”并非一个明确的法律概念，而是在合同签订前或履行中，承租人单方给付出租人的一笔钱，在法律规则中视为预付款项。

实践中前二者均可以冲抵承租人欠付的租金、违约金与损害赔偿金。冲抵遵循“多退少补”的原则，即如未支付的金额少于订金 / 押金，那么剩余部分应当退还承租人；如未支付的金额高于订金 / 押金，那么承租人仍需支付不足部分。

第三，“定金”规定于《担保法》第六章与《合同法》第一百一十五条中。“定金”是一种债权的担保，即保证合同的签订或履行。对于“定金”适用定金罚则，即交付定金一方违约的，不得取回定金；收取定金一方违约的，双倍返还守约方定金。因此，“定金”既具备保障合同正常履行，也具备填补违约损失、督促按约履行合同的意义。“定金”不得超过合同所约定的全部租金的20%。

第四，“违约金”是合同一方违反约定后，给对方造成损失时，按照约定向其支付的钱款。违约金具有两种功能，一是损害填补，二是惩罚违约。在我国当前的司法政策下，违约金以损害填补为主，以惩罚违约为辅。根据《合同法》第一百一十四条，当事人可以约定违约金的数额，也可以约定违约金的计算方法。

约定的违约金低于造成的损失的，当事人可以请求人民法院或者仲裁机构予以增加；约定的违约金过分高于造成的损失的，当事人可以请求人民法院或者仲裁机构予以适当减少。具体适用《最高人民法院关于适用〈中华人民共和国合同法〉若干问题的解释（二）》第二十九条。

当违约方仅有逾期付款行为且致使合同解除时，合同同时约定了逾期付款违约金与解约违约金，那么此二者应当同时适用且分段计算。当合同守约方企图多收取逾期付款违约金而恶意拖延行使合同解除权时，则仅计算逾期付款违约金。

由于“定金”与“违约金”均具有损害填补的功能，为了避免对损失的过度赔偿，导致守约方因受损而获益，《合同法》第一百一十六条规定，当事人既约定违约金，又约定定金的，守约方仅可选择适用其中一项约定。

第五，“损害赔偿金”是侵权方对遭受损害方所进行的赔偿，以填平损害、不因受损而获益为原则；其发生的根据是财产遭受了损坏，其法律基础是《侵权责任法》第十五条。

（四）房屋租赁合同的备案

合同效力仅受法律调整。根据《租赁司法解释》第四条的规定，当事人以房屋租赁合同未按照法律、行政法规规定办理登记备案手续为由，请求确认合同无效的，人民法院不予支持；但是，当事人约定以办理登记备案手续为房屋租赁合同生效条件的，从其约定。但当事人一方已经履行主要义务，对方接受的除外。

（五）优先承租权

与优先购买权形式上相近的一项权利是优先承租权。

优先承租权在商业租赁中较为常见，是一种意定的权利，仅在合同当事人之间发生效力。出租人未在合同约定期限或合理期限内通知原承租人续租就将房屋另行出租给他人，承租人不得要求确认出租人与第三人签订的房屋租赁合同无效，或者要求直接适用出租人与第三人签订的租赁合同的，承租人仅可要求出租人承担赔偿损失等相应违约责任。

普法提示

在司法实践中，城镇房屋租赁业已形成了较为完善的审判规则；乡、村庄房屋租赁则参照城镇房屋租赁审判规则。

（一）房屋租赁、买卖市场基本交易结构

本案中，苏大誓通过中介逆旅公司告知佛胤房屋出售事宜，涉及目前

房屋租赁、买卖市场上中介法律地位的问题。

房屋租赁市场中供需双方的交往模式有两种，其一是房东与房客直接签订合同；其二是通过中介产生交往。在有中介参与的房屋租赁中存在两种模式，其一是居间型：中介与房东签订合同，房东委托中介寻找房客，房客与房东直接签订房屋租赁合同，中介具有居间人的属性；其二是转租型：房东将房屋租赁给中介，中介按月支付房东租金，房东同意中介将房屋转租，然后中介再以高价将房屋租赁给房客，中介即成为俗称的“二房东”。目前实践中通过中介租房往往是转租型。

在房屋买卖市场中，中介承担居间人的作用。房东通过中介寻找到买家，但是绕过中介，自行与买家签订买卖合同的行为，通常称为“跳单”。跳单行为有可能构成违约。

苏大誓委托中介逆旅公司，在房屋租赁市场上，一般情况下中介公司都会通过合同将处分房屋的权利确定在自己这一边；在房屋买卖市场上，苏大誓的跳单行为，存在着构成违约的可能。因跳单违约问题与本案争议无关，故不再赘述。

（二）租房合同签订小要点

在签订房屋租赁合同时，应当注意以下要点：第一，商业性用房租赁合同签订时，要对房屋性质审慎审查；第二，房屋租赁合同无效，应及时主张权利、履行义务；第三，承租人对承租房屋进行装饰装修应留存合法有效证据。

房屋租赁合同中主要条款与各方权利义务可以被类型化，形成菜单式条款选择。

基于司法实践，有如下 10 个方面的条款需要出租人与承租人在订立合同时加以考虑、协商，以为纠纷发生后维护自己的利益提供帮助：

1. 房屋合法性；

2. 合同是否需要备案；

3. 房租、押金、定金、违约金安排；

4. 转租安排（是否是向转租人租赁房屋）；

5. 房屋装饰、装修、扩建、维护、修缮等问题如何安排；

6. 水、电、燃气、物业、供暖、卫生等费用如何承担；

7. 优先购买权；

8. 优先承租权；

9. 拆迁补偿分配；

10. 其他当事人自行特别约定。

（三）租赁合同无效双方如何主张权利

对于出租人而言：首先，合同无效后出租人可以要求承租人将房屋返还；其次，承租人在租赁期间损坏房屋及其设施的，出租人有权要求承租人恢复原状或者赔偿损失；最后，出租人有权要求承租人支付其占用房屋期间的占用费。

对于承租人而言：首先，有权要求出租人退还已交纳的租金、押金、租赁保证金等合同约定的费用；其次，承租人已经对房屋进行了装饰装修的，有权按照双方的过错程度向出租人主张装修损失。

案例三

农村相邻关系

——正确处理邻里关系

万人瑞[①]

案情回顾

张三和李四是同一个村的村民，两家东西相邻居住。张三家住东边，李四家住西边。2016年年底，李四用红砖将张三家西侧的道路堵死，致使张三无法从西侧道路通行。为了此事，张三找李四沟通，要求其搬走堆放的红砖，遭到李四拒绝。此事经村委会多次调解，一直未解决。于是张三将李四起诉到当地法院。

在开庭时，张三认为其房屋西侧的道路是本村村民通行的道路，其有权从此处通行，李四在道路上堆放红砖的行为严重侵害了张三的通行权益。故张三起诉要求李四立即将堆放于张三家西侧的红砖移走，恢复原状，不得妨碍张三通行。

李四认为，2016年前，张三的家门位于东侧院墙，张三一直是开东门从东边的道路通行。2016年初，张三翻建房屋时在西墙上又开了门准备从西侧通行。李四多次要求张三恢复院墙原状，张三均置之不理，李四不得

① 北京市西城区人民法院民二庭法官。

已才堆放红砖。

开完庭后，为了解张三、李四两家房屋情况，法官进行了现场勘验、走访，终于了解到：张三和李四两家东西为邻，中间隔一条由南向北延伸的道路。李四家从东门进出，张三家原本也是从东门进出，在2016年3月翻建房屋，将其西侧院墙拆除，在西侧留门以进出使用。李四认为如张三家从西侧开门通行，将影响其安全和便利，于是用红砖将张三家院落西侧挡住，导致张三无法从其院落西侧门出行。

经过庭审和调查，法官认定，张三与李四宅院之间所形成的道路是官道，为村里出资修建，不属于张三和李四宅基地范围之内，故双方对于该道路均具有合理通行使用的权利。法律规定，不动产的相邻权利人应当按照有利生产、方便生活、团结互助、公平合理的原则，正确处理相邻关系。张三为自己的通行便利从其宅院西侧出入并使用西侧道路，并不违反法律规定，也不影响李四正常通行，故李四无权阻止张三从此处通行。

法官向张三和李四讲明了上述道理和法律规定，对双方进行了普法和调解工作，最终在法官的主持下，张三、李四握手言和，李四将堆放在张三家西侧的红砖全部挪走。

法理分析

法院对本案的处理，依据的是《物权法》第八十四条的规定，即不动产的相邻权利人应当按照有利生产、方便生活、团结互助、公平合理的原则，正确处理相邻关系。

（一）什么是相邻关系

法律上的相邻关系，并非指邻里之间的人际关系，而是指土地或者建筑物等不动产相互毗邻时，不动产的所有权人或使用权人之间在对该不动产行使所有权或使用权时而产生的一种物权上的权利义务关系。村民朋友们所经常遇到的相邻关系纠纷，主要涉及四种情况：一是涉及用水和排水；二是涉及土地的相邻通行和临时使用；三是涉及建筑物的采光和通风；四是涉及污染侵害。

（二）涉及通行权的相邻关系

土地是农村重要的一种生活生产资源，种植农作物、修建房屋哪一样都离不开土地。然而，部分村民至今仍抱有“自己家的地自己说了算，谁也管不着”的错误思想，导致了许多纠纷。然而，关于相邻土地的使用，法律是如何规定的？《物权法》第八十七条规定：“不动产权利人对相邻权利人因通行等必须利用其土地的，应当提供必要的便利。”第八十八条规定：“不动产权利人因建造、修缮建筑物以及铺设电线、电缆、水管、暖气和燃气管线等必须利用相邻土地、建筑物的，该土地、建筑物的权利人应当提供必要的便利。”这就意味着，只要符合法律规定的情形（包括必要的通行和临时使用等），相邻方就可以使用你的土地，反之亦然。下面笔者就将简要地介绍一下相邻关系中的相邻通行和临时使用。

所谓通行权，是指一方有权在另一方土地上通行而相邻方负有容忍义务。这主要发生在一方的土地或者建筑物被相邻方的土地或者建筑物所包围，只有通过相邻方的土地或者建筑物才能对外通行，否则此方将无法出行或因绕行太远而承担巨大的通行成本。例如，张三承包的土地紧邻村道，位于村道的北侧，李四承包的土地紧邻张三承包的土地，位于张三承包土地的北侧。如果李四要从村道前往自家承包的土地，或从承包的土地前往村道，就必须通过张三承包的土地。依据物权法的规定，这种情况下李四就享有通行权，可以从张三承包的土地上通行，而张三不得进行阻挠。当然，李四在享有通行权的同时，也应当尊重张三的合法权益，选择历史形成的、便利的通行道路，而不得滥用自己的通行权，甚至踩踏张三的农作物，否则张三就有权要求李四进行赔偿。

所谓临时使用，是指一方有权临时使用另一方的土地，而另一方负有容忍义务，这种情况在一方对建筑物进行重建、改建、扩建，或者铺设管道的时候经常发生。因为不少农村的宅基地彼此相连，一旦要对宅基地上的建筑物进行大规模施工，就需要将家具、家电和生活用品从原建筑物中搬出进行安置。除此以外，施工现场还需要放置砖、瓦、钢筋、水泥等诸多建材，以及其他施工设备。这往往需要临时占用大量土地，自己家的宅基地根本搁不下，此时就可以请求临时使用相邻方的土地，相邻方则负有配合的义务。当然，因为临时施工而占用相邻方的土地，给相邻方的生活生产造成不便的，相邻方则可以要求占用方进行适当的经济补偿。

知识拓展

上文说到，相邻关系主要有四种类型。除上文介绍的相邻通行和临时使用以外，笔者对其他几种相邻关系为村民朋友们进行简要的介绍。

（一）用水和排水

水是生命之源，也是一种重要的生活生产资源，不论是生活中的做饭洗漱还是生产中的灌溉养殖，都离不开水。那么在生活和生产中如何合理合法地利用好水资源，避免与邻里之间产生纠纷？《物权法》第八十六条规定：“不动产权利人应当为相邻权利人用水、排水提供必要的便利。对自然流水的利用，应当在不动产的相邻权利人之间合理分配。对自然流水的排放，应当尊重自然流向。”也就是说，在用水与排水的时候，应当综合考量生产与生活方便、水的自然流向以及相邻各方的意见等多方面因素。任何一方不得擅自改变水的自然流向，危害他人对水资源的利用和排放。下面笔者将从用水与排水两方面进行进一步的阐述。

伴随着科学灌溉和耐旱农作物的普及，这些年农业生产对于水资源的利用效率得到显著提高。但是无法否认，至今我国农业生产对于水资源的依赖程度仍然很高。农民“靠天吃饭”的情况虽然大为改观，但是一场旱灾下来农作物减产的情况仍然无法避免。在水资源紧张时，农村因用水而产生纠纷的情况往往会比较突出。因为水渠或者河流中的水量变小，为了节约自家灌溉成本，确保自己农作物灌溉的需要，部分处于上游的村民有可能会将水截住流向自家的农田，进而导致下游水流变小，甚至使地势较低的村民无水可用，农作物因为缺水导致减产甚至绝收，引发下游村民与上游村民的激烈冲突。这种出于一己之私而擅自改变流水水量的做法，既不合理，也不合法。因此水资源紧张时，处于相邻的几户村民应该相互协商如何公平合理地利用水资源，即便协商无果，也不能擅自截流，否则受损方可以起诉要求排除妨害并赔偿经济损失。

雨水和生活用水，如果不能及时妥善排放，则有可能导致地面积水、通行困难，甚至有可能对建筑物使用造成不良影响。广大农村地区因为缺乏完善的公共排水系统，邻里之间因为排水而产生纠纷的情况时有发生，最常见的情况主要有以下两种。

第一种是因下游住户擅自改变水的自然流向，或者截住流水而引发纠纷。部分村民因不愿排水沟流经自家住宅，擅自将天然或者历史形成的排水沟堵住，导致污水无法正常排放，形成污水潭、臭气熏天、蚊蝇滋生，阻碍了村民的通行，侵蚀了四周建筑物的墙基，给邻里的正常生活带来巨大不便。按物权法规定，流水排放应当尊重自然的流向。水往低处流是自然规律，处于下游的居民应当承担这种天然的或者因历史形成的排水义务，而不应该人为地设置障碍。因此，这种擅自堵住排水沟的行为是违背物权法精神的，应当予以制止。

第二种是因屋檐滴水而引发的纠纷。现在农村的政策越来越好，广大农民朋友们也越来越富裕，许多村民都盖起了三层的小洋楼。然而在建造房屋的时候，却没有考虑屋顶排水与邻居家之间的距离。结果一到雨天，雨水就沿着自家屋顶直接倾泻到邻居家的屋顶、墙面甚至是门窗上，增加了邻居的排水负担，导致邻居家墙面受潮，影响了邻居的正常居住生活。为了避免这种情况发生，居住较高房屋的一方应当完善自家建筑的雨水排放设施，例如：铺设天沟收集屋顶雨水，并连接排水管将屋顶的雨水合理排放。

（二）采光和通风

随着生活水平提高，村民朋友们对居住环境的要求也越来越高，对建筑物通风采光的情况也越来越重视。加之大部分村民仍然保留着将收获季节的农产品晾晒风干后进行长期保存的习惯，而这也对通风和采光提出了一定的要求，因通风和采光而引发的矛盾在农村也是屡见不鲜。《物权法》第八十九条规定，建造建筑物，不得违反国家有关工程建设标准，妨碍相邻建筑物的通风、采光和日照。这就对相邻各方采光和通风的权利进行了明确规定，在农村最常见的两种情况是建筑物遮挡和林木遮挡。

按照现行法律法规，村民申请宅基地并修建住宅的，要得到集体经济组织的同意，并获得有关部门发放的选址意见书，规划许可证和施工许可证。然而，在现实生活中，在宅基地上修建住宅缺乏科学规划，或者超出规划的情况十分常见。为了最大限度地利用宅基地，一味追求住房的高大，忽视了自家建筑物的高度与邻家建筑物之间的距离比，导致自家建筑物遮挡邻居家采光和通风的情况时有发生。因此，笔者建议村民朋友们应当提前进行科学规划，参考建筑设计规范，依据当地的日照情况和建筑物之间的距离合理设计房屋，以免影响邻居通风和采光，产生不必要的纠纷。

不少村民朋友们喜欢在房前屋后种植树木，一方面美化了居住环境，另一方面树木的果实也可以食用，具有一定的经济价值。然而，某些村民在植木的时候，往往忽略了树木可能对邻家产生的影响，将树木种植在宅基地四周的墙边。树木经过多年的生长后，枝叶伸展超出自家宅基地的范围，深入到邻家院内，影响到邻家的通风和采光。而树根随着年份而伸展，影响了墙基的稳固，甚至有可能产生安全隐患。因此，村民朋友们在宅基地院内种植树木的时候，不仅要考虑美观以及树木与院内建筑物之间的格局，也要考虑树木长大枝叶茂盛之后，有可能对相邻方造成的影响，合理地选择种植树木的种类以及种植的位置，避免因此产生邻里纠纷。

（三）污染侵害

随着经济的发展，人们对于环境保护的关注程度也日益提高，党的十九大报告更是提出要“形成节约资源和保护环境的空间格局、产业结构、生产方式、生活方式，还自然以宁静、和谐、美丽”的要求。《物权法》第九十条则明确规定：“不动产权利人不得违反国家规定弃置固体废物，排放大气污染物、水污染物、噪声、光、电磁波辐射等有害物质。”虽然法律规定得非常明确，但是在农村各种形式污染环境的行为仍然层出不穷，其中又以养殖业造成的污染较为突出。

随着农村生产经营方式多样化，农村养殖业取得了长足发展，养殖方式也由原来的分户散养转变为集约化、工厂化养殖，在带来巨大经济效益的同时，也给环境带来了极大的负担。以前村民自家散养一些鸡鸭和猪，往往是为了满足家庭生活的需要，因为家禽和牲畜的数量较少，排泄物也不多，稍加处理就可以变成肥料，增强地力。但是在养殖业大规模普及后，情况就发生了变化。现在一个养殖户蓄养几百头猪、几万只鸡鸭非常常见，这些牲畜和家禽产生的粪尿和异味可不容小觑，但不少养殖户对此却并不关心。为了节约成本，往往是将污水直接或间接地排入水渠或者河流中，污染了水体和土质，给周边村民的生产和生活造成了极大的危害。依据《水污染防治法》的规定，向农田灌溉渠道排放城镇污水以及未综合利用的畜禽养殖废水、农产品加工废水的，应当保证其下游最近的灌溉取水点的水质符合农田灌溉水质标准。如果养殖户违反了法律规定给造他人造成了经济损失，依法应承担赔偿责任。

普法提示

通过上面的简单介绍，相信大家现在对相邻关系都会有一个相对完整的认识。农村的相邻关系往往会体现出以下几个特点：

一是不动产之间相互毗邻，这也是相邻关系产生的基础条件。相邻关系是一种物权性质的法律关系，有可能发生在两块承包经营的土地之间，或者是两块宅基地之间，也有可能发生在承包经营的土地与宅基地之间。但是，一般情况下这些不动产在地理上是相互毗邻的，否则就不能称之为相邻关系。

二是主体之间往往相互熟识。因为相邻关系发生在相互毗邻的不动产之间，而农村土地的承包经营以及宅基地的分配是在集体经济组织内部进行的，且土地使用权的流转以及地上的建筑物产权的买卖均受到限制，长时间共同的生产生活就导致相邻关系的主体之间往往都是熟人，甚至是亲属。

三是处理不好容易激化矛盾。部分村民之间因为一些历史遗留问题往往本身就存在矛盾，相互之间积怨较深，如果相邻关系处理不好，很有可能成为激化矛盾的导火索，部分当事人遇事容易丧失理智，逞一时之勇，引发肢体冲突甚至是流血事件。

既然相邻关系如此重要，我们应该如何避免因为相邻关系而产生纠纷呢？

第一，对于土地和不动产的使用，必须树立正确的观念。少数村民朋友们固执地认为自己承包经营的土地和集体分给自己的宅基地就是自己的，自己想怎么耕种就怎么耕种，想怎么盖房子就怎么盖房子，别人都管不着，这就成为许多相邻纠纷产生的导火索。在现代法治理念中，任何权利都是有边界的，都是有一定限制的，任何人在行使权利的时候都不能侵害国家利益、社会公共利益和他人的合法权益。只有树立了这样的理念，遇事先考虑自己的行为是否有可能违反法律规定，是否有可能危害到他人的合法权益，才能有效避免纠纷。

第二，在使用不动产有可能影响相邻权人时，应当先行进行协商。许多起诉到法院的涉及相邻关系的案件，并非是有什么很严重的矛盾，往往都是因小事而起。如果事前双方就能心平气和地谈一谈，很多诉讼根本就不会产生。换一个角度讲，如果相邻双方在事前就已对该事宜达成了协议，即使日后发生矛盾产生诉讼，对己方也是一种保护。因为相邻权也是一种民事权利，所以相邻权人也可以对相邻权进行处置，一旦处置就不能随意反悔，否则将会违背意思自治和诚实信用的民法基本原则。

第三，在不动产上进行施工前，一定要进行科学合理的规划。受传统文化的影响，不少村民朋友们在盖房子前总要找人看一下地形，设计一下建筑的格局，这本无可厚非。然而部分村民却忽视了对房屋进行科学合理的规划，结果导致双方产生纠纷。例如，有的村民朋友们为避免自己家的房子修得前宽后窄，便擅自侵占了宅基地两侧的道路，结果导致邻里通行不畅；还有些村民朋友，为让自己家的房子看上去更加高大洋气，忽视了建筑物的高度与到邻居家距离的合理比例，结果导致邻居家采光困难。如果事先就能找相关人士进行科学合理的规划，就可以避免很多纠纷，即使双方因此闹到法院，己方败诉的风险也会大大降低。

当然，有时候纠纷并非因己方产生，如果自己的相邻权受到侵犯，我们应该如何解决纠纷，保护自己的合法权利呢?

首先，应当主动与对方进行沟通。即使相邻方的行为有可能侵犯了己方的合法权益，咱们仍然应当主动找对方沟通协调，让对方充分了解自己的想法和顾虑。这一方面有利于避免矛盾激化，防止双方陷入不是你赢就是我输的博弈中；另一方面也减少了当事人的诉累，避免因诉讼而付出大量时间成本和经济成本。

其次，要借助农村基层自治组织进行调解。从事基层管理的村干部对村民之间都比较熟悉，和双方沟通起来更加容易，做起工作也比较方便。而那些年龄教长、威望较高的村干部，对于村里的土地、宅基地和建筑物的历史沿革比较清楚，通过他们来解决纠纷往往可以起到事半功倍的效果。

最后，如果前面的方法都行不通，就应该拿起法律武器，保护自己的合法权益，那么应该如何准备诉讼呢?

一是起诉前一定要注意搜集、保存好证据。法院处理案件首先要查清事实，而法官了解案情的重要途径就是证据材料。如果证据准备不充分，按照民事诉讼法的规定，就有可能要承担因此而产生的不利后果。由于许多侵害相邻关系的行为，例如在晚上偷偷截住上游的水源白天又恢复原状，或者通过暗沟排放污水等，都有时间短、不易留痕等特点，如果没有保存好证据，起诉后现场又被破坏，就有可能因证据不足而难以得到法院的支持。

二是要写好起诉书。一份主体正确、诉求清晰、内容完整的起诉书不仅有利于法官快速了解案情，更有利于通知相关当事人参加诉讼，加快审判的进度。例如，在相邻关系纠纷的案件中，原告一般是不动产的所有人或者使用人，而被告也往往是不动产的所有人或者使用人。与此同时，一定要在诉状中当事人信息部分留好自己和诉讼相对方的联系方式，包括手机、座机和通信地址等，这样法官就可以第一时间通知对方应诉。如果自己对此确实不了解，可以征询专业人士的意见，现在许多农村都有免费的法律服务志愿者，为广大农民朋友们提供了极大的便利。

三是要配合法院工作。诉讼程序的进行离不开当事人的积极配合，否则不仅有可能导致诉讼程序耗费更多的时间，更有可能因此面临不利的后果。例如，在审理相邻关系纠纷的时候，法官有可能进行现场勘验或者走访村委会。有些村民会认为我诉状都交了，证据材料都搜集好了，法院还一遍遍找我，太麻烦了，因此不太配合法院的工作。这种想法是不对的，法官去现场是为了更加直观地了解情况，如果不配合，法院有可能对案情无法作出准确的判断。还有一些村民起诉后就外出务工了，家里只留下老人和孩子，法院通知开庭却找各种理由不出庭。这种情况，作为原告经法院通知无正当理由不出庭的，法院可以视为自动撤回起诉，最终耽搁了自己的时间。

案例四

彩礼何时应返还

——解析《最高人民法院关于适用〈中华人民共和国婚姻法〉若干问题的解释（二）》第十条

魏祥胜[①]

如果说婚姻是一座殿堂，那么当男女双方走到这座殿堂门口时，往往发现还需要钥匙才能进入，有时候这把钥匙是一个仪式，有时候钥匙是指其他，比如彩礼。在我国很多地区，特别是广大农村地区，依然普遍存在结婚前给付彩礼的风俗。相应地，也会因彩礼产生一些纠纷。今天，我们就从一个真实案例切入，进而了解一些关于彩礼的法律规定，并进行相关知识的拓展，最后向大家提出几点建议。

案情回顾

12 月中旬，村里的小伙子蔡元与经媒人介绍认识的姑娘小孙自愿订下了婚约。按照当地传统，小孙向蔡元索要彩礼约 3 万元，其中现金 2 万元（包括回门 200 元），黄金项链、耳环、戒指三金共计 5000 元，衣服等约 5000 元。第二年年初蔡元借资 15000 元与小孙举行了结婚仪式，但没有在婚姻登记机关办理结婚登记手续。随后二人同居生活了一个月，一天，小

---

① 北京市西城区人民法院民六庭法官助理。

孙与蔡元的母亲发生争吵，小孙便跑出家门返回娘家，蔡元上门叫小孙回家，但遭到了小孙的父亲孙十坡辱骂。

蔡元认为小孙的行为给他们一家在精神上带来沉重打击，在经济上造成了巨大的损失，所以向法院起诉要求小孙和她的父亲孙十坡返还彩礼等共计45000元，并承担本案的诉讼费。小孙和她的父亲认为，蔡元与小孙是双方自愿订婚，订婚时蔡元所给付的钱物是他赠与的，孙家不应返还，同理，孙家给蔡家的“三金”也不需要返还，蔡元借钱与小孙举行婚礼与孙家没有关系，借款也不应由孙家返还。

法院经审理认为，蔡元与小孙未办理结婚登记手续以夫妻名义同居生活时间较短，蔡元所送彩礼数额较大，小孙应将彩礼返还，但蔡元给小孙的家人买衣物、回门等花去的费用属于赠与，不应返还，为举办婚礼花去的15000元也不应返还。所以法院作出如下判决：一、小孙及其父亲孙十坡返还给蔡元彩礼现金2万元；二、小孙现有的陪嫁物被子2床、毛毯2条、洋娃娃1个、大衣1件、手机1部归小孙所有。

法理分析

了解了上述案例，大家可能会有两个疑问：为何举办婚礼后仍需返还彩礼？为何女方的父亲也被列为被告？总结起来就是两个焦点问题：彩礼何时需返还、彩礼应由何人还。解答这些问题需要先理解相关法律规定。

（一）彩礼何时需返还

《最高人民法院关于适用〈中华人民共和国婚姻法〉若干问题的解释（二）》第十条规定，当事人请求返还按照习俗给付的彩礼的，如果查明属于以下情形，人民法院应当予以支持：

（一）双方未办理结婚登记手续的；

（二）双方办理结婚登记手续但确未共同生活的；

（三）婚前给付并导致给付人生活困难的。

适用前款第（二）、（三）项的规定，应当以双方离婚为条件。

上述案例的第一个焦点从司法解释的表述中可以得到明确的答案，那就是当事人双方未办理结婚登记手续的，一方可以请求返还彩礼。

根据《婚姻法》第八条规定：要求结婚的男女双方必须亲自到婚姻登记机关进行结婚登记。符合本法规定的，予以登记，发给结婚证。取得结婚证，即确立夫妻关系。未办理结婚登记的，应当补办登记。本案中蔡元与小孙未办理结婚登记手续，虽然举行了结婚仪式，但并未产生法律上的效力。法院考虑到双方按照习俗举行了结婚仪式，小孙也有一定的损失，未办结婚登记双方同居生活，双方均有一定责任。所以此案的判决结果既以法律为依据，又充分考虑了风俗民情，是公正合理的。

案例中的第二个焦点并不能直接从法律规定的文字表述中得到答案，还需要我们进一步理解法律规定。

首先，男女双方结婚前给付金钱、礼品等是否应定性为彩礼，应以当地是否有给付彩礼的风俗为判断依据。给付彩礼多数是按当地民风、习俗而形成的惯例。在我国，彩礼风俗也有地域的区别，在一些发达城市发生的概率会小一些，在农村发生的概率则会大很多。当地有给付彩礼风俗的，一般认定为彩礼。如果当地没有给付彩礼的风俗存在，就谈不上彩礼问题。对于不能认定为彩礼的、属于男女交往中给付财物的如何处理，要根据具体情况及性质，由人民法院依法作出处理。

依照司法解释，是否应返还彩礼应以当事人是否缔结婚姻关系为主要判断依据。具体来说，应总结为两个原则，两个例外。第一个原则是，给付彩礼后没有缔结婚姻关系的，原则上收受彩礼的一方应当返还彩礼。第二个原则是，给付彩礼后已经缔结婚姻关系的，原则上不予返还彩礼。还有两个例外，这两个例外是针对第二个原则来说的，一个例外是，给付彩礼后又办理了结婚登记手续，但二人没有真正在一起共同生活的；第二个例外是婚前给付彩礼的行为造成给付人生活困难的。这两种情况下接受彩礼的一方应当返还彩礼。

先说第一种例外情况，男女双方登记结婚后就形成了法律上的夫妻关系，夫妻之间有相互扶助的义务，但如果二人没有共同生活，也就没有相互扶助的经历，真正的婚后生活并未开始。特别是在一些农村地区，更注重的是举办特色婚礼，两人通过婚礼仪式真正走到一起，如果双方没有共同生活，则不视为真正结婚。甚至一些人为了骗取对方钱财，以结婚为诱饵，提出高额彩礼，得到彩礼登记结婚后并不与对方共同生活，然后提出离婚，一走了之，这种行为既伤害了当事人的感情，也极大地侵害了当事人的利益。这种矛盾处理不好，更容易激化。根据现在的司法解释，则能够有效避免矛盾激化。

第二种情况是婚前给付导致给付人生活困难的。此种情况下何种程度可认定为生活困难尤为关键。生活困难有绝对困难和相对困难之分。所谓绝对困难，是现实中绝对意义上的困难，表现为给付人依靠自己的能力、收入和积蓄已经无法维持当地最基本的生活水平。所谓相对困难，可以是与给付彩礼之前相比，相对于原来的生活条件来说，变得困难了。如果以相对生活困难作为一项参考因素，无疑是对接受彩礼一方提出了一个较高标准的要求。所以，要采用一个客观化标准，统一判断，不能无限度地让接受彩礼的一方作出让步。因此，这种因给付造成的生活困难，必须是导致生活的绝对困难而非相对困难。《婚姻法司法解释（一）》对“生活困难”就作出了解释，其中第二十七条规定，一方生活困难是指依靠个人财产和离婚时分得的财产无法维持当地基本生活水平。因此，应当依靠这个标准来认定生活困难。

上述两个例外中返还彩礼的前提是双方离婚。法院考虑支持给付人的返还彩礼的请求，必须以双方离婚为前提。因为如果双方还在婚姻关系存续期间，这时夫妻还是一个共同体，如果双方没有特殊的约定，这时依据法律规定，遵循夫妻法定财产共有制。因此，如果在给付彩礼之后登记结婚，并且尚在婚姻关系存续期间的，给付彩礼一方反悔，要求返还的，法院不予支持。如果给付方在离婚诉讼的同时提出返还彩礼的请求的，在法院审理阶段，如果准许双方离婚，那么就可以根据情况作出判断，决定是否支持当事人返还彩礼的请求。如果审理过程中，法院判决不准离婚，那么也就不能支持返还彩礼的请求。

（二）彩礼应由何人还

彩礼的给付和接受主体都应作广义理解。现实中，感情可能是男女双方在培养，而婚姻的缔结不仅仅是男女双方之间的事情，更多的是双方家庭之间的往来和交流。筹备婚礼需要双方家人共同操办，给付彩礼、置办嫁妆有时也是各自家人倾囊相助。将置办的彩礼、物品直接放在女方娘家的现象也很普遍。所以，给付、接受彩礼的人不能限定为男女本人。男女双方的亲属也应考虑在内，他们可以作为彩礼的给付人或者接受人。说到这，上述案例中，被告孙十坡作为小孙的父亲，因为蔡元所送的彩礼都是他接受的，要多少彩礼、如何支配也是他决定的，因此对彩礼由二位被告共同返还也是正确的。

知识拓展

现实中，因彩礼问题产生的纠纷往往比较棘手，很难解决。除了相关法律规定较少这个原因外，也因为彩礼的给付还与许多相关民事行为之间存在着错综复杂的关系。厘清彩礼与其他行为的关系和区别对处理彩礼问题尤为重要。

（一）彩礼与婚约

婚约是男女双方为将来结婚所作的事先约定。订立婚约的行为俗称“订婚”。婚约成立后，男女双方产生未婚夫妻身份。我国现行法律和政策，并不承认婚约具有法律效力，婚约也不是缔结婚姻的必要步骤。婚约的订立和履行受道德层面的约束，而非法律干涉的范围。如订立婚约的双方均不同意结婚，双方可以和解解决。如果一方反悔，另一方要求结婚，也无法通过诉讼程序解决，法院不受理因为单纯婚约本身产生的争议和纠纷。这和因伴随着婚约解除而产生的彩礼纠纷不是同一性质的纠纷。彩礼纠纷本质上是财产纠纷，法院是会受理并妥善解决的。彩礼与婚约有时相伴而生，有时独立存在。有时候双方订立婚约的同时一方给付彩礼，也有订立婚约而没有给付彩礼的情况。因此，提起诉讼之前应区分清楚是否存在彩礼方面的争议。

（二）彩礼与“借婚姻索取财物”“包办、买卖婚姻”

彩礼是一种民间习俗，我国现行法律与政策虽不提倡，但也没有禁止。彩礼给付方和接受方的合法权益均受到法律保护，一旦发生纠纷，诉至法院，法院应当受理。而“借婚姻索取财物”“包办、买卖婚姻”的行为本身就是我国《婚姻法》所禁止的。《婚姻法》第三条规定：“禁止包办、买卖婚姻和其他干涉婚姻自由的行为。禁止借婚姻索取财物。”因此，这两种行为属于违法行为。一旦被发现和查证属实，有过错一方的当事人不仅权益得不到保障，还应因其过错行为按照法律规定严加处理。彩礼有时会成为借婚姻索取财物、包办、买卖婚姻的变现形式。这时，彩礼不仅仅是民间习俗，对彩礼问题的处理已经被比它更严重的违法行为所吸收，触犯了法律禁止性规定，彩礼纠纷也不只是民事纠纷了。

（三）彩礼与一般赠与

彩礼本质上也是一种附条件的赠与行为，因此与男女婚前一般赠与有许多相似之处，二者也很容易混淆。对二者进行区分可以着重注意以下方面。首先，彩礼的给付是以结婚为目的的，而男女婚前一般赠与行为并不与结婚产生必然的显著的联系。其次，一般来讲，彩礼的给付都是非完全自愿的，往往是迫于当地风俗和社会压力而不得不给。而婚前一般赠与行为是一方完全自愿且无任何附加条件的。另外，财物金额的大小也可作为评判参考因素之一，例如财物价值过小，完全不符合当地习惯，则可认定为一般赠与。当然，彩礼与一般赠与的区分应综合多方面因素进行考量。

（四）彩礼与嫁妆

提起彩礼，许多人可能会联想到嫁妆。嫁妆这个词和彩礼有许多相似之处，也因为来源于风俗习惯而具有丰富的内涵。嫁妆与彩礼有一点显著不同，就是嫁妆这一习俗并没有得到法律层面的确认。目前还没有法律对嫁妆作出明文规定。在法律没有对其作出特殊规定的前提下，对以嫁妆的名义给付的财产要依照法律本质确定其归属。嫁妆的本质是父母对出嫁女儿的财物赠与，对于嫁妆财产的处理也应当依据法律关于一般赠与的规定。判断赠与行为发生的时间对于财产的归属至关重要。在双方婚前赠与女方的财产一般应当认定为对女方的单独赠与，即为俗称的嫁妆，属于女方的婚前财产，在离婚时应当从夫妻共同财产中析出。在双方婚后，女方父母对于女方的赠与如果没有特殊指明仅针对女方个人的赠与，则应认定为是对于二人的共同赠与，应属于夫妻共同财产，离婚时应一并分割。

普法提示

关于彩礼的纠纷很多，在审判实践中遇到的问题也很复杂。在这次讲解中并不能面面俱到。我们通过一个案例引出法律条文，并进行更深一步的解读，试图让大家了解相关法律知识，尽量避免产生纠纷和扩大争议。为规避给付和返还彩礼带来的风险和纠纷，我们提醒广大公众注意以下几个方面：

（一）量力而行，适度给付

虽然法律并不禁止给付彩礼，但目前一些地区形成的给付高额彩礼的风气，产生了很多不好的影响和后果。这些高额彩礼的种类和说法繁多，但都价值不菲。这种风气给大部分工薪阶层和农村地区的民众带来了很大负担。筹备彩礼往往是举全家之力，甚至要通过借贷来凑足彩礼。这就使这种特殊的给付行为成了整个家庭的负担，使男女双方更加敏感，一旦处置不当，特别容易激化矛盾，加重两个家庭的经济负担。因此，我们建议广大公众在给付彩礼时量力而行，适度给付，这样既能减轻经济负担，降低矛盾激化点，也能够通过影响周围人让社会上彩礼过重的风气得到一定扭转。

（二）慎重给付，留存证据

在社会上，仍然存在借婚姻索取财物的不法行为。在相识不久、了解不深的情况下，以结婚为由索要高额彩礼后离婚而不返还的现象也不是个例。为避免造成损失，就需要男女双方真诚相待，也要求彩礼给付方在给付之前慎重考虑婚姻问题。此外，在给付高额彩礼时还应注意留下给付的证据，一旦发生纠纷，则有利于举证，减少家庭的损失。另外，一旦向法院提起诉讼，在要求返还财物时也可以考虑增加被告，比如向接受人的家人等主体一起主张返还。

（三）注意时效，及时救济

诉讼时效是指民事权利受到侵害的权利人在法定时效期间内不行使权利，当期间届满时，就有可能丧失胜诉的权利。因彩礼引发纠纷起诉至法院是有诉讼时效限制的。但法律并没有作特殊的规定，所以应当适用普通的诉讼时效。《民法总则》第一百八十八条规定，向人民法院请求保护民事权利的诉讼时效期间为三年。法律另有规定的，依照其规定。诉讼时效期间自权利人知道或者应当知道权利受到侵害之日起计算。也就是说，此类纠纷的计算，有以下几种情形：如果双方还没有登记结婚，给付方想要回彩礼的，应及时履行权利，主张返还，对方拒不返还的，诉讼时效开始计算。如果已经登记结婚，自解除婚姻关系之日起，给付人就应当知道自己的权利受到侵害，诉讼时效开始计算。

正确理解彩礼性质、妥善处理彩礼问题，既能维持个人和家庭的感情与稳定，又能避免因处理不当引起的家庭反目与破裂，维护社会稳定。希望通过这次普法宣传，能够向广大公众普及相关法律知识，提升社会公众依法处理彩礼争议的法治意识，为和谐社会建设贡献应有之力！

案例五 夫妻协议

——夫妻签订协议的种类和效力

魏祥胜[1]

人们结婚时总希望能够白头偕老，无奈经常事与愿违，只能成为对方生命中的一个过客。在分手之际、离婚之时，人们要收拾的不仅是破裂的感情，也需要处理子女抚养、财产分割等现实问题。今天，我们从法律的角度说一说夫妻之间签订协议的那些事儿。我们先从一个真实案例开始，接着分析法理并进行知识扩展，最后给大家一些普法建议。

案情回顾

伊丈青与王虎经人介绍相识，确定恋爱关系一年后登记结婚，随即举行结婚仪式。双方结婚后因家庭琐事产生矛盾，经常争吵，婚后的第三年，伊丈青回娘家居住，此后双方一直分居。分居后第二年，伊丈青曾起诉至法院要求离婚，法院经审理作出判决书不准许双方离婚，双方都没有提起上诉。第一次离婚诉讼后，双方还是没有和好，期间签订离婚财产分割协议，但未办理离婚登记手续。伊丈青于一年后再次起诉至法院，要求离婚。法院在审理过程中组织调解，双方各执己见，没有达成协议。

---

① 北京市西城区人民法院民六庭法官助理。

一审法院经审理查明，伊丈青与王虎婚后没有生育子女。双方婚姻存续期间，共同出资购买北京市西城区某房屋一套、大兴区某房屋一套，都是贷款购买，现有贷款尚未还清。另外，双方全款购买奔驰小客车一辆。在第一次诉讼后，第二次起诉前，伊丈青起草离婚财产分割协议，王虎在伊丈青的劝说下在协议上签字。协议内容为："一、男女双方自愿离婚；双方无子女；二、双方共有的位于北京市西城区某房屋归女方伊丈青所有，贷款由男方王虎偿还；双方共有的北京市大兴区某房屋归男方王虎所有，贷款由男方王虎偿还；三、婚后购买的奔驰汽车一辆归女方伊丈青所有，双方各自其他私人财产归各自所有；四、双方如有债务，由男方王虎偿还。"

伊丈青主张按协议分割财产。王虎在诉讼中认可其在该协议上签字，但称当时是为了缓和双方之间的关系，获取女方再次信任才签字，协议内容并不是他的真实想法，现在不同意离婚，如果法院判决离婚，也不同意按照协议分割，主张依法分割财产。

一审法院认为，伊丈青与王虎经法院判决不准离婚后仍未能和好，双方夫妻感情确已破裂，故伊丈青再次要求离婚，准许离婚。双方婚后共同购买的北京市西城区房屋、大兴区房屋、奔驰小客车均为夫妻共同财产，应予分割。双方签订的协议是以离婚为条件的离婚财产分割协议，双方协议离婚未成，现王虎反悔，故协议未生效，不应按照协议分割。因双方对共同财产的价值不能达成一致，故王虎在诉讼中申请对房屋的市场价值进行了评估。法院判决西城区房屋归伊丈青所有，剩余贷款由伊丈青继续偿还；大兴区房屋归王虎所有，剩余贷款由王虎继续偿还；奔驰小客车归伊丈青所有；伊丈青向王虎给付房屋、小客车折价款共计100万元。

伊丈青不服判决，向中级人民法院提起上诉，要求改判。中级人民法院二审认为，本案的争议焦点在于双方签订财产分割协议的效力问题。本案中王虎反悔，双方未能协议离婚，协议没有生效。一审法院根据财产市场价值等实际情况作出判决，认定事实清楚，适用法律正确。所以判决驳回上诉，维持原判。判决后，双方当事人都服从判决结果。

法理分析

下面我们对本案中涉及的法理进行分析。本案中王虎与伊丈青签订的协议属于离婚财产分割协议。

离婚财产分割协议是指夫妻双方在婚姻关系存续期间达成的以离婚为条件的财产分割协议。这种协议可以单纯地以分割财产为内容，也可以包含子女抚养问题。关于离婚财产分割协议，法律规定了以下几种情况的处理方法。

（一）未办理离婚登记，当事人反悔

上述案例的争议焦点在于王虎与伊丈青在商议离婚事宜过程中签订的财产分割协议是否生效，法院是否应按照双方签订的协议处理财产。关于这个问题《最高人民法院关于适用〈中华人民共和国婚姻法〉若干问题的解释（三）》第十四条作了明确规定："当事人达成的以登记离婚或者到人民法院协议离婚为条件的财产分割协议，如果双方协议离婚未成，一方在离婚诉讼中反悔的，人民法院应当认定该财产分割协议没有生效，并根据实际情况依法对夫妻共同财产进行分割。"

夫妻双方达成协议后，由于种种原因，一方或者双方反悔，未能到婚姻登记机关办理协议离婚登记手续，而是到法院诉讼离婚，这种情况下，往往是一方要求按照协议处理，另一方否认协议的效力，要求法院按实际情况处理。之所以制定上述司法解释，是因为以登记离婚或者到法院协议离婚两种形式为条件的财产分割协议，生效是有前提的。这个前提就是双

方完成了离婚手续，如果这个前提条件不能成立，财产分割协议就不能发生法律效力。一方当事人在离婚诉讼中主张按照协议分割财产的，法院不应支持，而应认定协议没有生效，并根据实际情况，依据法律规定对夫妻财产进行分割。

（二）已办理离婚登记，当事人反悔

上面说的案例是夫妻双方没有办理离婚手续时财产分割协议的效力，如果双方已经办理完毕离婚登记手续，那么离婚财产分割协议的效力如何呢？下面还是先来看有关司法解释。《最高人民法院关于适用〈中华人民共和国婚姻法〉若干问题的解释（二）》第八条规定："离婚协议中关于财产分割的条款或者当事人因离婚就财产分割达成的协议，对男女双方具有法律约束力。当事人因履行上述财产分割协议发生纠纷提起诉讼的，人民法院应当受理。"这条明确的是，如果男女双方办理完毕离婚登记手续后，一方或双方对财产分割协议反悔而诉讼的，人民法院应该受理这类案件。

《最高人民法院关于适用〈中华人民共和国婚姻法〉若干问题的解释（二）》第九条规定："男女双方协议离婚后一年内就财产分割问题反悔，请求变更或者撤销财产分割协议的，人民法院应当受理。人民法院审理后，未发现订立财产分割协议时存在欺诈、胁迫等情形的，应当依法驳回当事人的诉讼请求。"

首先，男女双方离婚后，是指男女双方通过婚姻登记机关办理离婚登记手续而离婚，如果双方是通过法院离婚，即使是法院调解离婚，也不适用上述规定。因为在法院办理离婚手续，即使是调解离婚，也是在法官的主持下进行的，也需要双方当事人自愿达成协议，协议内容经过了法官的审查，这种审查是国家司法机关进行的实质性的审查，包括对当事人意思表示真实性和合法性的审查，是很严格的，当事人的意思表示也是明确的。

而在婚姻登记机关登记离婚时提交的协议只进行了形式审查，对是否具有欺诈、胁迫的情形，不能确定。

其次，法律规定了男女双方离婚后就财产分割协议反悔的时间限制，这个限制是一年。一年是从双方在婚姻登记机关领取离婚证的次日开始计算的，并且，这一年的期间是不变期间，也就是说这一年是不得中止、中断和延长的。本条规定一年的期限，是因为涉及婚姻家庭领域的一些协议具有特殊性，其所涉及的法律关系与人们的身份权及其相关利益有着密切的关系。男女双方离婚以后，各方都可能很快再次结婚，组建新的家庭。如果将允许对财产分割协议反悔而起诉的时间规定得过长，则会使因离婚而发生变动的财产所有权，长期处于不确定状态，受影响的往往不仅仅是离婚男女双方当事人和他们各自再次组成的家庭，甚至可能包括其参与投资经营的企业、与之进行交易的其他民事主体。因此，规定一年的期间有利于使因婚姻关系变动而受到影响的财产关系尽早得到稳定。

最后，人民法院经过审理后没有发现欺诈、胁迫等情形的，对当事人的诉求应该依法驳回，也就是说只有存在欺诈、胁迫等情形，且有证据证明的情形下，才有可能允许当事人反悔。需要注意的一点是，法律规定中用了“等情形”，说明欺诈、胁迫情形不是法院支持当事人诉请的唯一条件。参照其他法律规定，如果存在显失公平等情况，法院仍有可能变更或者撤销财产分割协议。

知识拓展

离婚财产分割协议只是夫妻签订协议的一种形式，夫妻间可能会签订多种形式的协议，其他形式的协议也会产生相应的法律效力。如何认识多种形式的协议，对处理夫妻关系和财产归属也非常重要。下面我们简单介绍几种协议形式。

（一）夫妻财产协议

《婚姻法》第十九条规定："夫妻可以约定婚姻关系存续期间所得的财产以及婚前财产归各自所有、共同所有或部分各自所有、部分共同所有。约定应当采用书面形式。没有约定或约定不明确的，适用本法第十七条、第十八条的规定。夫妻对婚姻关系存续期间所得的财产以及婚前财产的约定，对双方具有约束力。夫妻对婚姻关系存续期间所得的财产约定归各自所有的，夫或妻一方对外所负的债务，第三人知道该约定的，以夫或妻一方所有的财产清偿。"

首先，夫妻财产协议的生效条件与离婚财产分割协议不同，夫妻财产协议生效不是以登记离婚为前提的。它的生效条件有以下几个方面：第一，双方意思表示真实，平等自愿。第二，协议形式必须是书面形式。第三，协议约定的内容要具体、明确。第四，协议中涉及的财产必须是夫妻双方有权处分的，不能约定处分其他人的财产。第五，协议不能规避法定义务，不能违背公序良俗。

其次，夫妻财产协议可以在登记结婚前签订，也可以在婚内签订。合法有效的夫妻财产协议一经双方签订，立即产生效力，夫妻一方不得单方面撤销、变更。夫妻财产协议可以约定婚前财产的归属，也可以约定婚后财产、债权、债务的处理，既可以就全部财产进行约定，也可以对部分财产作出安排。

最后，夫妻财产协议的对内效力和对外效力有所不同。顾名思义，对内效力就是指对夫妻内部的效力，对外效力就是对第三人，也就是夫妻之外的其他人的效力。夫妻财产协议生效后，效力及于夫妻双方及各自的继承人。但对外效力如何是因实际情况不同而有所区分的，不一定能够对抗夫妻之外的其他人。夫妻对婚姻关系存续期间所得的财产约定归各自所有的，夫妻中未借债一方如果想要主张只用另一方的个人财产清偿债务的，需要证明第三人知道其夫妻财产约定。有时证明难度较大，容易引发争议。

（二）夫妻之间的房产赠与协议

夫妻之间也会发生赠与行为，特别是在当前社会“房本加名”的要求和现象日益增多，夫妻之间赠与房产的行为容易引发纠纷，因此，《最高人民法院关于适用〈中华人民共和国婚姻法〉若干问题的解释（三）》第六条作了明确规定：“婚前或者婚姻关系存续期间，当事人约定将一方所有的房产赠与另一方，赠与方在赠与房产变更登记之前撤销赠与，另一方请求判令继续履行的，人民法院可以按照合同法第一百八十六条的规定处理。”《合同法》第一百八十六条规定：“赠与人在赠与财产的权利转移之前可以撤销赠与。具有救灾、扶贫等社会公益、道德义务性质的赠与合同或者经过公证的赠与合同，不适用前款规定。”不动产权的变更以登记为生效要件。因此，如果赠与房产未办理过户手续，赠与协议也没有经过公证，赠与方是有权撤销赠与的。

（三）忠诚协议

在现实生活中，经常可以见到夫妻双方签订忠诚协议，约定如果一方有过错，违背了忠诚义务，就要给对方补偿。这种协议曾经争议很大，但现在越来越得到认可。如果协议是双方真实意思表示，应受法律保护。

需要注意的是，首先，签订忠诚协议要自愿，不违法，没有欺诈、胁迫，仅适用于合法的婚姻关系中，即夫妻之间自愿达成的忠诚协议有效。因婚外情而给“第三者”出具的忠诚协议，因违反公序良俗，应为无效协议。非法同居分手导致的青春损失费、分手费等无效。如果自愿给，不侵害给付者配偶的利益，法律允许。

其次，双方达成的忠诚协议，如果以协议离婚作为生效条件，在双方未到婚姻登记机关办理离婚登记而诉讼离婚的情况下，法院将认定其并未生效。

最后，司法实践中，即使法院认定忠诚协议有效，也不意味着忠诚协议中所有内容均将获得支持。例如，违反婚姻自由原则的条款将被认定无效、限制人身自由的条款将被认定无效；关于赔偿的内容明显超出一方承受能力或夫妻共同财产范围的，法院一般将会酌定处理，而不会全部支持。

（四）多份协议的效力

夫妻双方可能签订过多份协议，在认定协议的时候，需要区分先后协议的效力。一般来说，后签订的协议优于先签订的协议。如果有在婚姻登记机关备案的协议，那份协议为最后签订的协议，因此，备案的协议应具有最强的效力，除非当事人在办理离婚登记手续之后另有约定。若在办理离婚手续后，双方又达成了新的协议，新的协议效力优于备案协议的效力。争议内容有作出处理的协议优于争议内容没有作出处理的协议。当事人办理离婚手续前若先后签订了几份离婚协议，后签订的离婚协议内容并未涵盖前面离婚协议中的某些内容，在前签订的协议内容也具有可操作性。

普法提示

涉及夫妻之间协议的法律问题还有很多，在司法实践中也更加复杂。

希望本次讲解通过分析案例与法理让公众对夫妻财产协议能够多一些了解，尽量妥善解决夫妻财产争议。在此，我们提醒广大公众在处理夫妻财产时应注意以下几个方面：

（一）未雨绸缪，签订婚前或者婚内财产协议

为减少争议，防患于未然，夫妻双方可以签订婚前或者婚内财产协议，用来确定财产的归属和处理方式。婚前财产协议并非只可以约定婚前财产的归属，婚前、婚后所得财产归属和债务的范围及权利归属等内容都可以在婚前财产协议中作出相关约定。在婚前财产协议中约定婚前财产归属，主要目的是明确双方各自的婚前财产，或者是明确以后的财产分割问题、提出赔偿的约定。因此签订婚前或婚内财产协议能够明确财产归属，减少纠纷。

（二）及时救济，因受欺诈、胁迫而签订协议后及时取证

离婚协议不同于一般民事合同，还掺杂了感情因素，法院不能轻易认定一方受欺诈、胁迫，也不能轻易将协议中一方放弃主要或大部分财产的约定认定为显失公平或重大误解，而予以撤销或变更。所以，关于签订协议受欺诈、胁迫的问题，若一方不能举证证明在签订协议时存在欺诈、胁迫的事实，则法院很难认定。实践中，常见一方认为胁迫的情况是：当一方以所谓的“捉奸在床”，或掌握其他秘密，以要将相关资料散布出去为要挟，另一方不得已，在离婚协议上签字。这时，一定要及时报警，或采用其他方法取证，不要因为太顾及脸面而丧失固定证据的时机。如果不及时保存证据，产生争议时对己不利。

（三）查遗补缺，发现漏分财产及时进行补救

男女双方协议离婚后，一方发现对方存在隐藏夫妻共同财产行为，对于被隐藏的夫妻共同财产，一方可以向法院起诉要求再次分割。在司法实践中，男女双方离婚后发现财产遗漏，在诉讼时效期间内就遗漏部分的财产提起离婚后财产纠纷等诉讼的情形也很常见。这提醒夫妻一方发现另一方有隐匿财产的行为，应及时补救，寻求救济。

对夫妻双方的权益保护是事关每个家庭幸福的大事，希望能够通过此次对实务案例和法理的分析，让公众对夫妻之间的协议的形式和效力更加了解，签订协议时更加明确。

案例六

依法订立遗嘱

——解析遗嘱的法定形式与订立要求

曹巧峤[①]

案情回顾

东溪村的老陈头在老伴1991年去世后一直独自生活，他和老伴育有一子陈明和一女陈亮。两个人都是山窝飞出的金凤凰。从小成绩优秀，考取重点大学后离开了东溪村，在大学毕业后前往国外留学并都定居在了加拿大。2000年，随着镇上大力开发旅游产业，建设宜居农村，老陈头的老宅和田地都被拆迁，作为补偿村委会给老陈头在镇上外迁补偿了一套100平方米的商品住宅，房子登记在老陈头个人名下。2010年老陈头突然中风后腿脚不便，搬到了镇上的夕阳红敬老院并将自己在镇上的房屋出租以支付相关养老院和看病就医的费用。陈明和陈亮在国外工作繁忙，一两年也就回国看望老陈头一次，但两人平时都会通过汇款给父亲补贴点生活费。

2014年12月老陈头突发脑溢血去世，陈明和陈亮在回国办理父亲丧事时突然有一个叫周娟的中年女人找到两人，自称是老陈头的老伴。陈明

① 北京市西城区人民法院民六庭法官助理。

和陈亮对这个从未见过面甚至从未听说的继母满腹狐疑。心想父亲生前留下遗产房屋的同时，怎么还留下了这档子风流韵事呢？原来这个比陈明、陈亮年龄还小的继母周娟是老陈头生前所住夕阳红敬老院的护工，老陈头老伴早年去世，子女又不在身边，一个人孤单生活，身体又不好，有个头疼脑热就全靠自己的护工周娟照顾，周娟虽然比老陈头小了近30岁，但吃苦耐劳，无微不至地照顾老陈头，周娟和前夫离婚后又一直未恋爱结婚，久而久之，两个形单影只的人就互生爱慕，走到了一起。二人于2011年10月登记结婚，老陈头怕子女反对，直到去世也一直没有把和周娟再婚的事告诉陈明和陈亮。

正所谓，无事不登三宝殿，周娟和陈明、陈亮本就素未谋面，来找他俩正是因为周娟声称老陈头生前留有遗嘱将自己在镇上拆迁补偿的房屋留给自己个人继承，并称老陈头立遗嘱的全部过程有手机视频为证，她来找二人正是来要求他们协助自己办理房屋过户手续的。陈明和陈亮又惊讶又愤怒，惊讶的是父亲从未向他们告知再婚事实，老陈头一辈子大字不识一个怎么会知道留下遗嘱处分遗产；愤怒的是父亲的老宅和土地是他的命根子，当时接受拆迁补偿父亲也是想了又想，选了又选，周娟与父亲结婚才几年，父亲怎么可能将拆迁所得房屋这么重要的财产拱手相送。

周娟与陈明、陈亮协商未果就将二人起诉到了法院，要求按照老陈头生前所留视频遗嘱判令遗产房屋由自己继承。并向法庭提交了手机视频佐证，周娟提交的视频中虽然可以辨别是老陈头在陈述，但陈述的声音较小，且录制过程有外界噪音和手机杂音干扰，并且是以三个独立视频文件存于周娟手机中，没有存储于光盘等载体。视频中，老陈头躺在病床上，眼睛半睁，精神状态很不理想，依稀可以听到他的言论中有提到子女、周娟和房子留给周娟的话。周娟虽称录制视频时有另外两名护工在场见证，但没有提交相应证据，也没有找她所称的这两个证人来法院到庭作证。根据法庭的查明，这段视频是周娟在老陈头去世前5天在老陈头所在病房用自己的手机录制的。

最终法院认定视频遗嘱比录音遗嘱多了录像动态画面，其真实性和有效性需要参照录音遗嘱的相关规定，视频在证据上属于视听资料证据形式，当存有疑异时不得单独作为认定事实的依据。周娟提交的视频在真实性和完整性上均存有疑义，不排除修改拼接的可能，也不排除因噪音忽略部分内容的可能。此外，录音遗嘱还应当符合继承法规定的形式要件要求。周娟提交的视频遗嘱因制作过程没有两位无利害关系的见证人在场见证，也不符合录音遗嘱的法定形式要件要求。故该视频遗嘱法院最终在真实性和有效性上均没有认可，判决老陈头生前所留遗产房屋按照法定继承处理，由其第一顺序法定继承人周娟、陈明、陈亮均等继承份额。由于该房屋取得在老陈头和周娟登记结婚前，应当全部属于老陈头个人财产，由周娟和陈明、陈亮共同继承取得，每人各占三分之一的份额。

法理分析

正所谓："亲口所说必胜于他人所闻"，这个道理到了遗嘱这个领域却未必行得通了。要想立下一份合法有效的遗嘱，就不得不好好学学继承法中的遗嘱形式要求。

（一）遗嘱自由与界限

《继承法》第十六条规定：公民可以依照本法规定立遗嘱处分个人财产，并可以指定遗嘱执行人。公民可以立遗嘱将个人财产指定由法定继承人的一人或者数人继承。公民可以立遗嘱将个人财产赠给国家、集体或者法定继承人以外的人。这一条是对公民以遗嘱的形式处分自己生前个人合法财产的尊重，也就是遗嘱自由原则的规范性条文。但任何自由都不是绝对而无边际的，遗嘱行为同样不例外。作为公民对自己财产的一项重大处分行为，且是一项以死亡为发生效力要件的法律行为，遗嘱行为是一个法定的要式行为。法律对遗嘱有着严格的形式要件要求，一是因为遗嘱的慎重性，二是因为遗嘱的严格形式是确保遗嘱真实性的重要手段。

（二）视频遗嘱的审查规范

第十六条规定的公民按照本法规定，就是指公民要依照继承法规定的各种遗嘱类型和各种类型对应的形式要件要求订立遗嘱。《继承法》第十七条是关于公证遗嘱、自书遗嘱、代书遗嘱、录音遗嘱和口头遗嘱的类型规定和形式要求。其中第四款规定：以录音形式立的遗嘱，应当有两个以上见证人在场见证。现在的继承法仍未对传统遗嘱形式进行修订，视频遗嘱只能类推适用最近似的录音遗嘱。在审判实践中，一般还借助视听资料的证据审查模式判断视频遗嘱的真实性，即疑异不得单独定案的原则。简单点说就是如果视频遗嘱的制作过程不严谨，有疑义，得不到其他证据佐证该视频真实性的，不能单独以这个存有疑义的视频认定遗嘱就是真实的。

（三）合格的见证人

遗嘱的真实性是审查合法性的前提，第十七条的前提就是遗嘱确定是真实的，一项真实的录音遗嘱要想取得法定效力，产生遗嘱人期待的法律效果，必须满足有两个无利害关系见证人在场见证的形式要件要求。这里的见证人，《继承法》第十八条已经明确规定了其排除范围，总结为两类，一类就是没有能力见证遗嘱过程的人：无行为能力和限制行为能力的人，他们的心智和认知均无法理解遗嘱的意义。另一类就是不能见证遗嘱过程的人：继承人、受遗赠人和与他们存在利害关系的人。这一类人，遗嘱的内容直接或者间接决定了他们是获得利益还是失去利益，遗产给了某个继承人，意味着其他继承人法定继承份额的失去，意味着这个继承人继承份额在法定份额基础上的增加。因为根据《继承法》第十三条的规定，同一顺序法定继承人继承遗产的份额，一般应当均等。

（四）视频遗嘱的风险

由于继承法颁布的时候视频技术尚未普及，随着科学技术特别是移动技术和计算机技术的发展，第十七条规定的录音遗嘱在实践中已经很少见到，更多的是既有声音又有动态的视频遗嘱。由于现在我国智能移动电话的高度普及率，很多农民朋友不识字，或没有条件订立公证、代书或者自书遗嘱等书面遗嘱形式，往往倾向于采取视频遗嘱或者口头遗嘱。但由于法律知识的缺乏，特别是对继承法律规定的不了解，经常导致遗嘱制作过程的瑕疵和形式的不合法，视频录制过程瑕疵可能导致遗嘱真实性存疑，视频遗嘱不符合法定形式要求可能导致遗嘱效力存疑，最终遗愿并不能尽如人愿的情况比比皆是。

（五）如何妥立视频遗嘱

根据《继承法》第十七条的规定，结合证据规则对视频制作的要求。广大农民如确有特殊原因无法选择其他更为可靠的遗嘱形式，应当确保视频遗嘱的拍摄录制过程不存在疑异。要做到这一点，首先，应当选择科学合理的录制设备和环境，确保视频质量和连贯；其次，也是最重要的形式要求，就是应当由符合规定的两位非利害关系见证人在场见证整个遗嘱的录制过程，最好是其中一位见证人录制，两名见证人均应在视频中表明身份和见证事实；最后，录制完毕后的视频文件不要以电子文件的形式存放，因为电子资料极易修改和剪切，应当及时将视频存放于光盘等载体并予以封存，由遗嘱人和见证人在封口处签名妥善保管。

知识拓展

（一）公证遗嘱效力高

细心的农民朋友在读《继承法》第十七条时应该注意到，公证遗嘱、自书遗嘱、代书遗嘱、录音和口头遗嘱五种遗嘱形式中公证遗嘱是排在首位的，而按照第二十条第三款的规定，自书、代书、录音、口头遗嘱不得撤销、变更公证遗嘱。这里就是间接承认了，如果同时存在这五种遗嘱形式，公证遗嘱的效力是最高的。这也是为什么公证遗嘱在第十七条的规定中放在了首位。根据相关规定，公证遗嘱由公证机关办理，并且有着专业的司法公证员按照专业的《遗嘱公证细则》予以操作，能够从制作过程和形式要求上严格保证遗嘱的真实性和合法性，所以公证遗嘱虽起步较晚，却发展极为迅速。

（二）行为能力不容忽视

能够有条件前往办理公证遗嘱的农民朋友应该尽量前往所在县市的公证处，在专业公证员的指导下订立公证遗嘱，防止继承纠纷。但即便公证遗嘱有着无可比拟的优势，根据《继承法》第二十二条的规定：无行为能力或者限制行为能力所立的遗嘱无效。这一条关于遗嘱能力的要求，同样对公证遗嘱具有效力。虽然公证遗嘱效力最高，但实践中很多轻微老年痴呆和轻度精神智力障碍的遗嘱人在尚未完全丧失行为能力时可能和正常人差异并不大，加上年老体弱的原因，表达稍慢也不会引起公证员的足够重视。就医学视角为言，老年痴呆和精神智力障碍无法好转治愈，只能延缓发展，一旦立遗嘱前患有相应疾病，即使所立公证遗嘱符合法定形式，仍会有被鉴定为限制或者无行为能力的风险。患有这些疾病的农民朋友也应当予以重视，最好在立遗嘱前对行为能力进行司法鉴定，在确认具有完全民事行为能力后再前往公证处。

（三）自书遗嘱恰用语

《继承法》第十七条第二款紧接着规定了自书遗嘱的形式要求，就是必须本人亲笔书写、签名，并且要注明年、月、日。自书遗嘱是仅次于公证遗嘱的最能直观反映遗嘱人真实意思表示的遗嘱形式，这里所指的亲笔书写对象是指从头到尾全部的遗嘱内容，签名可以以名章或者按捺手印替代。自书遗嘱的优势在于简便，但受到遗嘱人教育水平、法律知识的限制，实践中的自书遗嘱大量充斥着生活用语，有的用词用语不仅不符合法律措辞，甚至与一般语法句法相左。虽然法院审判中以尊重遗嘱人真实意思表示为原则，但如果遗嘱人表达过于隐晦，也将引发相应纠纷。所以在书写自书遗嘱时应当尽量言简意赅，表述清楚遗嘱人身份、遗嘱时间地点、遗产房屋坐落权属、分配方案等要素即可。

（四）见证人规则要重视

实际生活中，农民朋友用得较多的还有《继承法》第十七条第三款规定的代书遗嘱。该款规定，代书遗嘱应当有两个以上见证人在场见证，由其中一个人代书，注明年、月、日，并由代书人、其他见证人和遗嘱人签名。按照规定，代书遗嘱也应当选任两个无利害关系的见证人见证代书遗嘱的订立过程，不同的是，其中一个见证人可以不仅担任见证人，也可担任代书人。需要注意的是，遗嘱人并不是不用对代书遗嘱进行任何确认，在对代书内容确认无误后，其需要签署自己的名字，如果实在不会或者不能签字的，可以加盖名章或者按捺手印。代书人要全文代书，并签署自己的名字和注明日期，最后在场见证的另外一个见证人也要签上自己的名字才能有效。

在代书遗嘱见证人的选任上要格外谨慎，继承人和与继承人有利害关系的人都不能担当见证人，所以应尽量避免选择继承人的朋友、亲属、同事，尽量选择遗嘱人的朋友、同事、邻居等与继承人关系较远的人。有条件的，最好是请专职律师进行见证并留档保存。

（五）打印遗嘱省事不省心

随着打印技术的发展，近几年很多遗嘱继承案件中开始出现打印遗嘱。打印虽然比文字书写更省时省事，但由于突破了现有继承法的遗嘱形式，司法实践中对打印遗嘱的认定一般类推适用自书遗嘱和代书遗嘱的形式要件。农民朋友在立打印遗嘱时需要积极取证，能够证明确系自己使用电脑等设备记录和打印并由自己签字确认的，可以认定为自书遗嘱。如果是他人电脑记录或者使用他人设备打印的，应当符合代书遗嘱的要件，由记录人或者帮助打印人在打印件上签字确认系遗嘱人本人真实意思表示，并还需要有另外一位见证人在场见证，才能使打印遗嘱有效。切不可图一时的方便，误了身后的大事，引发不必要的纠纷。

（六）口头遗嘱非万全

《继承法》第十七条第五款规定，遗嘱人在危急情况下，可以立口头遗嘱。口头遗嘱应当有两个以上见证人在场见证。危急情况解除后，遗嘱人能够用书面或者录音形式立遗嘱的，所立的口头遗嘱无效。从规定对口头遗嘱设立的种种条件来看，法律之所以规定有口头遗嘱，是为了应对突发紧急状态下遗嘱人无法选择其他较为正式的遗嘱时的应急之举。它的使用必须以遗嘱人突发疾病和意外危及生命为前提，由两名以上无利害关系的见证人在场见证，且遗嘱人最终确实因该突发变故去世没有机会选择其他遗嘱，这样口头遗嘱才能符合形式要求合法有效。为了让口头遗嘱得以证实，应当尽可能借助现有科技条件对口头遗嘱的陈述和见证过程进行录音录像。由于口头遗嘱在实体和程序上的风险，若非万一农民朋友应尽量避免使用。

普法提示

了解了继承法对遗嘱的形式与订立规定后，广大农民朋友在订立遗嘱时要注意以下几点要求。

（一）言简意赅话遗产

准确把握和陈述遗产。遗嘱所能处分的只能是属于遗嘱人个人所有的合法财产权益，家庭共同财产应当先析产确权、夫妻共同财产应当就各自份额分别订立遗嘱。确有立共同遗嘱必要的，因涉及夫妻双方的共同意思表示，夫妻双方签字确认绝对必不可少。为避免一方去世后，在世方想变更撤销遗嘱遇有障碍，建议在立共同遗嘱时也应当有见证人在场见证，对遗嘱变更撤销的条件应约定为双方在世时必须双方共同意思，一方去世后，在世方也可以撤销变更遗嘱未生效的部分。对遗产房屋的具体坐落，权属登记应当在遗嘱中以公认和客观的语言予以表述，对于其他与遗产处分无关的内容应当在遗嘱中尽量避免，以免内容和文字理解上的歧义。

（二）行为能力早预判

重视行为能力。无论立何种形式的遗嘱均要确保遗嘱人行为能力不存在瑕疵，遗嘱人对立遗嘱的行为应当能够从精神智力状态上理解行为的性质，并对行为的法律效果具备清楚的认知，唯有如此才能充分体现遗嘱的谨慎原则。有精神智力疾病或脑部疾病患者可能影响民事行为能力的应提前启动相应鉴定程序，确定自己的民事行为能力，减少遗嘱订立后继承人对遗嘱人行为能力争执不下的情形导致的家庭矛盾纷争。提前确定的鉴定意见也可以在诉讼中降低根据现有诊断材料等证据无法确定遗嘱人立遗嘱时行为能力的举证风险。

（三）遗嘱形式需谨慎

妥善选择并严格遵守遗嘱形式要件。除非特殊情形应谨慎选择视频、打印和口头遗嘱。确有需要使用的，口头遗嘱必须以遗嘱人突发疾病和意外危及生命为前提，由两名以上无利害关系的见证人在场见证，且遗嘱人最终确因该突发变故去世没有机会选择其他遗嘱，过程应尽量录音录像。视频遗嘱应确保无疑异，符合证据法规定。科学合理的录制设备和环境，视频质量和连贯性，见证人的见证，视频文件的导出保存和妥善封存均是必不可少的条件。打印遗嘱应尽量自己打印自己签署并合理留存客观证据，佐证打印遗嘱符合遗嘱人真实意思表示。

依法订立遗嘱，妥善处理身后大事，既能维持个体家庭的和谐稳定，减少因遗产纠纷导致的家庭成员反目和情感破裂，又是应对老龄化社会的法治建设重要举措。

第三章

外出务工

案例一

务工人员劳动权益

——进城务工人员劳动权益保护

姜涛[①]

随着我国市场经济的快速发展，现代化农业生产水平的逐步提高，越来越多的农村劳动力流向城镇。他们在城镇的各个行业里发挥着巨大的作用，既推动了城镇建设，同时也增加了自身的收入，更好地满足了对于美好生活的需要。但是近几年一些大型城市，特别是“北上广”等经济发达地区逐渐显露出人力资源过盛的状况，最直接的体现就是找工作越来越难。于是，一些不良企业利用务工人员急于找工作的心态，故意剥夺他们合法的劳动权益，而务工者在权益遭受侵害以后，苦于不熟悉相关法律，找工作又十分困难，只能忍气吞声，自认倒霉。本讲就结合一起务工人员遭受工伤事故后的维权经历，为进城务工的农民朋友普及一下与劳动权益相关的法律常识。

案情回顾

贾玉是河南省某地区的农民，2016 年 7 月从家乡来到北京务工，被荣升建筑公司聘用，担任公司司机。荣升建筑公司没有和贾玉签订劳动合同，

① 北京市西城区人民法院民事审判八庭法官。

也没有为他缴纳养老、失业、医疗等社会保险。

2016 年 9 月，荣升建筑公司为贾玉发放了当月工资 3100 元。贾玉询问公司主管为何未发放 8 月份工资，他得到的回答是，上个月的工资作了入职抵押金。此后，荣升建筑公司按月向贾玉发放工资。2017 年 2 月，贾玉在上班途中发生交通事故，事故造成贾玉胸椎腰椎骨折，经鉴定为七级伤残。贾玉因伤治疗、康复需要休息 4 个月，为此花费住院费、药费等 12.8 万元。因伤病休息期间，荣升建筑公司没有向贾玉支付工资。

2017 年 6 月下旬，贾玉回荣升建筑公司上班，贾玉的主管史经理通知贾玉，因贾玉受重伤不能胜任司机的工作，公司决定自即日起与贾玉解除劳动关系。贾玉很生气，要求史经理报销医疗费，支付病假期间的工资。史经理却说："你是让别人给撞的，要赔钱找他赔去！"贾玉只好离开了公司。

无奈之下，贾玉找到了专门负责为农民工维权的曹律师进行咨询。曹律师在听完贾玉的经历后，认为荣升建筑公司在用工过程中存在多处违法行为，决定作为贾玉的代理人，协助他维护自己的劳动者权利，要回属于自己的劳动报酬和赔偿款。

2017 年 7 月，曹律师代理贾玉向荣升建筑公司所在地的劳动争议仲裁委员会提起劳动仲裁，要求荣升建筑公司：1. 支付未签订劳动合同的二倍工资；2. 支付入职第 1 个月的工资及因伤休息期间的工资及 50% 的赔偿金；3. 报销全部医疗费用；4. 支付违法解除劳动合同的二倍赔偿金 6200 元。劳动争议仲裁委员会听取双方陈述，审阅双方的证据后作出裁决：荣升建筑公司支付贾玉未签订劳动合同的二倍工资 34100 元、拖欠工资 15500 元、解除劳动合同的经济补偿金 3100 元，对于贾玉要求报销医药费、给付拖欠工资的赔偿金等仲裁请求不予支持。

贾玉和荣升建筑公司均不同意仲裁裁决，分别向区人民法院提起诉讼。人民法院受理两案后，合并进行了审理。2017 年 10 月，人民法院作出判决：荣升建筑公司支付贾玉未签订劳动合同的二倍工资34100元、拖欠工资15500元及50%的赔偿金7750元、报销全部医疗费12.8万元、违法解除劳动合同赔偿金6200元。此后，荣升建筑公司不服法院判决，提起上诉。2017年12月，北京某中级人民法院判决：驳回上诉，维持原判。

法理分析

（一）劳动争议那些事儿

1. 什么是劳动争议？

劳动合同是劳动者与用人单位之间确立劳动关系，明确双方权利义务关系的协议。因双方履行劳动合同发生的纠纷就是劳动争议。

根据《劳动争议调解仲裁法》第二条规定，劳动争议包括以下方面：（1）因确认劳动关系发生的争议；（2）因订立、履行、变更、解除和终止劳动合同发生的争议；（3）因除名、辞退和辞职、离职发生的争议；（4）因工作时间、休息休假、社会保险、福利、培训以及劳动保护发生的争议；（5）因劳动报酬、工伤医疗费、经济补偿或者赔偿金等发生的争议。劳动者、用人单位因上述纠纷协商无果时，可以提起劳动仲裁。

同时，法律也规定了不属于劳动争议的情形。《最高人民法院关于审理劳动争议案件适用法律若干问题的解释（二）》第七条规定以下情形产生的纠纷不属于劳动争议：（1）劳动者请求社会保险经办机构发放社会保险金的纠纷；（2）劳动者与用人单位因住房制度改革产生的公有住房转让纠纷；（3）劳动者对劳动能力鉴定委员会的伤残等级鉴定结论或者对职业病诊断鉴定委员会的职业病诊断鉴定结论的异议纠纷；（4）家庭或者个人与家政服务人员之间的纠纷；（5）个体工匠与帮工、学徒之间的纠纷；（6）农村承包经营户与受雇人之间的纠纷。

2. 怎么解决劳动争议？

根据《劳动争议调解仲裁法》第五条的规定，劳动者、用人单位因履行劳动合同发生争议后，首先可以向调解组织申请调解，不愿调解、调解不成或者达成调解协议后不履行的，可以向劳动争议仲裁委员会申请劳动仲裁，劳动争议仲裁委员会作出仲裁裁决后，任何一方不同意仲裁裁决的，均可以在15日内，向劳动争议仲裁委员会所在地的人民法院提起诉讼。人民法院对于劳动争议案件，实行二审终审制。

本案中，贾玉因订立、履行劳动合同以及因劳动报酬、工伤医疗费、经济补偿或者赔偿金等与荣升建筑公司所发生的争议，理所当然属于劳动争议。

（二）劳动合同那些事儿

1. 劳动合同中有哪些内容？

我国劳动合同法对于完善劳动合同制度，明确劳动合同双方当事人的权利和义务，保护劳动者的合法权益，构建和发展和谐稳定的劳动关系至为重要。《劳动合同法》第十七条规定，劳动合同应当具备以下条款：（1）用人单位名称、住所和法定代表人或者主要负责人；（2）劳动者的姓名、住址和居民身份证或者其他有效身份证件号码；（3）劳动合同期限；（4）工作内容和工作地点；（5）工作时间和休息休假；（6）劳动报酬；（7）社会保险；（8）劳动保护、劳动条件和职业危害防护；（9）法律、法规规定应当纳入劳动合同的其他事项。

2. 劳动合同是必须要签的吗？

根据《劳动合同法》第十条规定，建立劳动关系，应当订立书面劳动合同。因此，务工人员与用人单位建立劳动关系，必须签订劳动合同，而且应该由用人单位主动与务工人员签订劳动合同。

3. 未签劳动合同承担什么责任?

根据《劳动合同法》第八十二条及《劳动合同法实施条例》第六条和第七条的规定，用人单位自用工之日起超过一个月不满一年未与劳动者订立书面劳动合同的，应当向劳动者每月支付二倍的工资，并与劳动者补订书面劳动合同。用人单位自用工之日起满一年未与劳动者订立书面劳动合同的，自用工之日起满一个月的次日至满一年的前一日应当向劳动者每月支付两倍的工资，并视为自用工之日起满一年的当日已经与劳动者订立无固定期限劳动合同。二倍工资的起算时间为用工之日起满一个月的次日，截止时间为补订书面劳动合同的前一日。

本案中，贾玉与荣升建筑公司在2016年7月建立用工关系，荣升建筑公司依法应当在一个月内与贾玉签订书面劳动合同。而荣升建筑公司未与贾玉签订书面劳动合同，显然违反了上述法律规定，其依法应自2016年8月起至2017年6月止共计11个月，向贾玉支付未签订劳动合同的二倍工资。

4. 什么是劳动合同的违法解除?

劳动合同尚未到期，用人单位如果要提前解除劳动合同，除非劳动者有劳动合同法规定的情形，均需要与劳动者协商一致，否则即构成违法解除。

关于什么情况下用人单位可以单方解除劳动合同，《劳动合同法》第三十九条进行了规定。用人单位可随时解除并不需要给付劳动者补偿的，主要包括以下几种情形:（1）劳动者在试用期时不符合录用条件;（2）履行劳动合同时严重违反单位规章制度，严重失职、营私舞弊或者同时与其他单位建立劳动关系给单位造成重大损害、重大影响;（3）以欺诈、胁迫的手段或者乘人之危，使用人单位在违背真实意思的情况下签订劳动合同导致合同无效的;（4）劳动者被依法追究刑事责任的。另外，《劳动合同法》第四十条还规定了用人单位提前三十日以书面形式通知劳动者本人或者额外支付劳动者一个月工资后，可以解除劳动合同的几种情形。其中包括：（1）劳动者患病或者非因公负伤，在规定的医疗期满后不能从事原工作，也不能从事由用人单位另行安排的工作的；（2）劳动者不能胜任工作，经过培训或者调整工作岗位，仍不能胜任工作的；（3）劳动合同订立时所依据的客观情况发生重大变化，致使劳动合同无法履行，经用人单位与劳动者协商，未能就变更劳动合同内容达成协议的。

关于违法解除，《劳动合同法》第四十二条还规定，劳动者有下列情形之一的，用人单位不得依照本法第四十条、第四十一条的规定解除劳动合同：（1）从事接触职业病危害作业的劳动者未进行离岗前职业健康检查，或者疑似职业病病人在诊断或者医学观察期间的；（2）在本单位患职业病或者因公负伤并被确认丧失或者部分丧失劳动能力的；（3）患病或者非因公负伤，在规定的医疗期内的；（4）女职工在孕期、产期、哺乳期的；（5）在本单位连续工作满十五年，且距法定退休年龄不足五年的；（6）法律、行政法规规定的其他情形。

通过上述法律规定可以看出，劳动合同法等法律法规对于用人单位行使劳动合同解除权是进行了严格限制的，非因法定情形，用人单位不得与劳动者解除劳动合同。如果用人单位解除劳动合同的理由不符合相关法律规定，则应认定为用人单位违法解除劳动合同。《劳动合同法》第八十七条规定，用人单位违反本法规定解除或者终止劳动合同的，应当依照本法第四十七条规定的经济补偿标准的二倍向劳动者支付赔偿金。第四十七条规定了支付解除劳动合同经济补偿金的标准为：经济补偿按劳动者在本单位工作的年限，每满一年支付一个月工资的标准向劳动者支付。六个月以上不满一年的，按一年计算；不满六个月的，向劳动者支付半个月工资的经济补偿。月工资按劳动者在劳动合同解除或者终止前十二个月的平均工资计算。

本案中，荣升建筑公司以贾玉受伤后不能从事原岗位工作为由提出解除劳动合同显然不符合劳动合同法的相关规定，其解除劳动合同的行为属于违法解除，依法应支付贾玉违法解除劳动合同的赔偿金。贾玉在职期间月工资3100元，其在荣升建筑公司工作期间为一年，故荣升建筑公司应支付贾玉违法解除劳动合同的赔偿金数额为6200元。

（三）工伤那些事儿

1. 什么是工伤？

工伤，即因工作受伤病或者伤病与工作有关联，以及根据法律视同工伤的情形。我国《工伤保险条例》第十四条中对属于工伤的几种情形进行了列举，主要包括：（1）在工作时间和工作场所内，因工作原因受到事故伤害的；（2）工作时间前后在工作场所内，从事与工作有关的预备性或者收尾性工作受到事故伤害的；（3）在工作时间和工作场所内，因履行工作职责受到暴力等意外伤害的；（4）患职业病的；（5）因工外出期间，由于工作原因受到伤害或者发生事故下落不明的；（6）在上下班途中，受到机动车事故伤害的；（7）法律、行政法规规定应当认定为工伤的其他情形。此外，第十五条还规定了视同工伤的情形，包括：（1）在工作时间和工作岗位，突发疾病死亡或者在48小时之内经抢救无效死亡的；（2）在抢险救灾等维护国家利益、公共利益活动中受到伤害的；（3）职工原在军队服役，因战、因公负伤致残，已取得革命伤残军人证，到用人单位后旧伤复发的。

2. 什么是工伤保险待遇？

工伤保险待遇，是指国家通过工伤保险，保障因工作遭受事故伤害或者患职业病的职工获得医疗救治和经济补偿。我国《工伤保险条例》第二条明确规定，中华人民共和国境内的各类企业、有雇工的个体工商户（以下称用人单位）应当依照本条例规定参加工伤保险，为本单位全部职工或者雇工（以下称职工）缴纳工伤保险费。在职工伤病被劳动保障行政部门认定为工伤，并经劳动能力鉴定其伤病程度后，由国家从工伤保险基金中予以支付，或者由所在单位依法予以支付。

按照我国《工伤保险条例》的有关规定，工伤保险待遇主要包括医疗待遇、工资待遇、住院伙食费待遇、残疾辅助器具费待遇、生活护理费待遇、伤残补助金待遇等。因工死亡的还包括丧葬补助金、供养亲属抚恤金和一次性工亡补助金等。

3. 单位未缴纳工伤保险费如何处理？

用人单位未给职工缴纳工伤保险费的，按照我国《工伤保险条例》第六十条规定，由劳动保障行政部门责令改正；未参加工伤保险期间用人单位职工发生工伤的，由该用人单位按照本条例规定的工伤保险待遇项目和标准支付费用。

本案中，贾玉在上班途中因交通事故受伤可认定为工伤。由于双方建立劳动关系后，荣升建筑公司作为用人单位，未依法为贾玉缴纳工伤保险，在贾玉受伤后，荣升建筑公司亦未及时补办缴纳工伤保险的相关手续，导致贾玉无法享受工伤保险待遇。在此情况下，国家规定的工伤保险待遇应由荣升建筑公司承担。因此荣升建筑公司应当报销贾玉因工伤造成的医药费用。

（四）劳动报酬那些事儿

1. 劳动报酬如何支付？

劳动报酬，主要包括根据劳动合同以及单位薪酬制度确定的劳动者的工资、奖金以及其他以货币形式发放的福利。

根据《劳动合同法》第三十条规定，用人单位应当按照劳动合同约定和国家规定，向劳动者及时足额支付劳动报酬。第五十条规定，工资应当以货币形式按月支付给劳动者本人，不得克扣或者无故拖欠劳动者的工资。第八十五条规定，用人单位未按照劳动合同的约定或者国家规定及时足额支付劳动者劳动报酬的，由劳动行政部门责令限期支付，逾期不支付的，责令用人单位按应付金额百分之五十以上百分之一百以下的标准向劳动者加付赔偿金。

另外，按照《劳动合同法》第九条规定，用人单位招用劳动者，不得扣押劳动者的居民身份证和其他证件，不得要求劳动者提供担保或者以其他名义向劳动者收取财物。本案中，荣升建筑公司以贾玉上班第一个月的工资做了入职抵押金，显然违反了劳动合同法的相关规定，该行为应认定无效，并已构成拖欠工资行为，应当向贾玉补发工资并加付赔偿金。

2. 工伤期间是否还应支付工资？

按照我国《工伤保险条例》第三十一条第一款的规定，职工因工作遭受事故伤害或者患职业病需要暂停工作接受工伤医疗的，在停工留薪期内，原工资福利待遇不变，由所在单位按月支付。

本案中，荣升建筑公司拒绝支付贾玉伤病期间的工资显然是违法的，除应全额支付拖欠工资外，还应加付该金额百分之五十的赔偿金。

知识拓展

社会保险是一种为丧失劳动能力、暂时失去劳动岗位或因健康原因造成损失的人口提供收入或者补偿的一种社会和经济制度。

社会保险的主要项目包括：养老保险、失业保险、医疗保险、工伤保险和生育保险。在我国，社会保险是社会保障体系的重要组成部分，其在整个社会保障体系中居于核心地位。社会保险是一种缴费性的社会保障，资金主要是用人单位和劳动者本人缴纳，政府财政给予补贴并承担最终的责任。用人单位与劳动者建立劳动关系后，即应按照法律规定为劳动者缴纳各项社会保险，其中劳动者需要按一定比例缴费的，由用人单位代扣代缴。本案中，贾玉在上班途中受伤，如果荣升建筑公司为其缴纳了工伤保险，贾玉在医院的全部治疗费用及伤残补助金等都可以从工伤保险基金中支付，但由于荣升建筑公司违反法律规定，未为贾玉缴纳工伤保险，导致贾玉因住院治疗支付了巨额的医疗费用，造成其财产损失，对此荣升建筑公司应予以赔偿。

需要指出的是，依据目前的审判制度，劳动者与用人单位因缴纳社会保险发生争议，不属于劳动争议仲裁和人民法院受案范围，上述争议应由劳动行政部门解决。劳动者可以通过向用人单位所在地劳动和社会保障局所属的劳动监察大队进行举报，由劳动监察部门进行认定处理，以此维护自身的合法权益。

普法提示

劳动者特别是进城务工的农民朋友如何维护自身合法的劳动权益？需要提醒以下几点：

1. 作为劳动者应积极、及时地学习和了解相关的劳动法律法规和政策，依法维权。有的劳动者对于劳动保障法律法规和政策不熟悉，不知道该如何来主张自己的合法权益。有的对劳动法律法规政策理解不准确，不知道该如何应用，往往会过高提出赔偿主张，造成与用人单位矛盾激化，不利于协商解决纠纷。如果提出的请求过低，无形中放弃了部分合法权益。所以，劳动者应当学习并掌握基本的劳动法律知识或者在遇到纠纷发生时，及时找法律专业人士进行法律咨询，争取做到对于争议问题所涉及的法律法规，心中有数，依法维权，理性维权。

2. 切莫有贪小便宜的心态。大城市中，存在不少低端行业。比如，有的保安、保洁公司在招聘员工时，为降低劳动成本，提出由劳动者申请用人单位不为其缴纳社会保险，有的劳动者认为，这样做可以不用扣除需要自己缴纳的养老保险费和医疗保险费，似乎月收入可以高一些。殊不知这是一种短见的做法。因为养老保险对于将来退休者来讲具有重要的意义，而医疗保险则是时时处处需要的，一旦没有这项社会保险，劳动者生病后，将面临巨大的就医负担，因此这种做法得不偿失。在审判实践中，经常见到用人单位提供由劳动者签名的不要求用人单位为其缴纳社会保险的声明或者申请，用人单位的上述规避法律行为全部被法院认定无效，但劳动者却仍然不可避免地因此受到不应有的损失。

3. 签订合法有效的劳动合同。首先，要全面了解企业的品质，可以采取多种途径了解企业的经营情况，包括向劳动监察部门了解劳动者对该企业的投诉情况等，以此在心中判定自己就职该企业是否适合。其次，依法签订劳动合同。按照劳动法的相关规定，用人单位必须与劳动者签订书面劳动合同，这对于保障劳动者合法权益非常重要。在签订劳动合同时，要对劳动合同的内容进行认真审查，即审查劳动合同中有无合同期限、工作内容、劳动保护和劳动条件、劳动纪律、劳动合同解除终止的条件、违反劳动合同的责任等条款内容。劳动合同是一式两份，用人单位盖好章交给劳动者的劳动合同，劳动者必须保存好，因为这是认定劳动关系是否存在的最重要证据。

4. 如何正确履行劳动合同。首先，要遵守用人单位规章制度。用人单位规章制度，被视为企业内部法。有效的规章制度可以作为管理、约束本单位职工的重要依据，同时按照法律规定，有效的规章制度也是劳动仲裁机构、人民法院审理劳动争议案件的依据。所以，如果劳动者违反企业规章制度，仲裁和诉讼时败诉的风险极大。其次，在涉及用人单位规章制度的执行过程中，要注意尽可能留存相关证据。比如，用人单位年底工作量大的时候，可能会安排加班，而加班的时点、期限、报酬的支付等用人单位往往会发出通知或者作出书面决定，尽可能地保留这些材料，对于今后出现的维权案件中举证，显得十分重要。因为用人单位作为劳动合同中强势一方，往往利用自身优势，将相关证据隐瞒甚至毁灭，力图将责任推得一干二净。而劳动者如果保留了这些证据，就会在仲裁、诉讼中占有有利位置，为维护自身合法权益取得成功创造十分有利的条件。

案例二

初识合同

——解析合同法相关的二三事

张洁[①]

案情回顾

陈富自幼生活在江苏省的一个乡村，近年来，很多村里的朋友们都去县里做起了小生意，陈富也想有自己的生意，于是去了当地县城打听消息，经过朋友介绍，陈富认识了新生活化妆品公司的老板，决定为新生活化妆品公司在当地县城代销化妆品。2014 年 12 月 4 日，陈富与新生活化妆品公司签订了“小白人”品牌化妆品的《专卖合同》，合同约定陈富在当地县里代理新生活化妆品公司经销“小白人”品牌化妆品，新生活化妆品公司提供陈富经营需要的房屋，陈富向新生活化妆品公司支付房租并且交纳押金 10 万元，代理期限 1 年，从 2015 年 1 月 1 日到 2015 年 12 月 31 日。陈富在《专卖合同》上签了字，新生活化妆品公司盖了公司的公章。在经营期间，陈富发现代销化妆品利润没有达到他的预期程度，合同到期后不想从事代销生意了。于是，陈富找到新生活化妆品公司想要求退还他交的押金 10 万元，新生活化妆品公司先退还了陈富 7 万元，另外 3 万元一直

① 北京市西城区人民法院民三庭法官。

没给他。经过多次跟新生活化妆品公司沟通，2016年1月12日，新生活化妆品公司终于同意退还陈富剩余押金3万元，但是由于经营需要，陈富把租来的房屋进行了装修，这个房屋本来就是租来的，新生活化妆品公司要求陈富把房屋恢复到之前的样子，陈富也答应了。

为了稳妥起见，陈富要求跟新生活化妆品公司签订了书面的合同，双方约好以后，陈富和他妻子何玉一起找到新生活化妆品公司当时的法定代表人于有财，签订了《退回押金协议》，依据这份协议，新生活化妆品公司应向原告退还剩余押金3万元，原告陈富应当全部恢复被告新生活化妆品公司向其提供的房屋，在验收合格后两周内完成退款。在《退回押金协议》上签字的两个人，其中一个是于有财，他签合同时一直担任新生活化妆品公司法定代表人，另一个人是何玉，也就是陈富的妻子。

签完这个《退回押金协议》，陈富就腾空了房屋，可是，找于有财退还押金的时候，于有财说自己一直在外地，房屋也无法验收，总是以各种理由推托。陈富心想，幸亏自己当时想到签个书面的东西，现在于有财都不接自己电话了，干脆去法院告他们吧。于是，陈富按照网上找到的起诉状样式写了起诉状，到法院起诉新生活化妆品公司，陈富的起诉状上写的诉讼请求是：1. 要求法院判令新生活化妆品公司退还陈富押金3万元；2. 新生活化妆品公司承担案件诉讼费用。

陈富起诉后，收到了法院的开庭传票。陈富带齐了所有的合同和其他证据，准备在法庭上与新生活化妆品公司评评道理。开庭的时候，陈富对何玉在《退回押金协议》上的签字表示认可。新生活化妆品公司已经换了法定代表人，新的老板李新对于有财的签字不认可，并说《退回押金协议》没有新生活化妆品公司的公章，跟新生活化妆品公司无关，不同意退回陈富押金3万元。

通过开庭审理，法院作出了判决，法院认为，原告陈富与被告新生活化妆品公司签订的《退回押金协议》，是双方之间形成的合同关系，是双方当事人的真实意思表示，且不违反我国现行法律、行政法规的强制性规定，该份《退回押金协议》合法有效。《退回押金协议》的签字方是于有财与何玉，原告陈富对何玉的签字事后表示认可，也对该《退回押金协议》认可。被告新生活化妆品公司不认可于有财的签字，被告新的法定代表人李新辩称新生活化妆品公司没有让于有财和原告签订《退回押金协议》，该协议与被告新生活化妆品公司没有关系，也与双方之前的《专卖合同》无关，被告新生活化妆品公司这条答辩意见，法院没有采纳。因为，根据《民法总则》第六十一条规定，依照法律或者法人章程的规定，代表法人从事民事活动的负责人，为法人的法定代表人。法定代表人以法人名义从事的民事活动，其法律后果由法人承受。于有财在 2016 年 6 月之前都是新生活化妆品公司的法定代表人，于有财与原告陈富于 2016 年 1 月 12 日签订《退回押金协议》。《退回押金协议》中于有财是以甲方代表的身份签字并摁手印，虽然该协议中的甲方并没有明确是否是新生活化妆品公司，但是《退回押金协议》中有新生活化妆品公司的“小白人”品牌化妆品等与新生活化妆品公司相关的字样，被告新生活化妆品公司未提交证据说明于有财或者被告新生活化妆品公司与原告陈富之间除涉案合同纠纷外，还有其他涉及“小白人”品牌化妆品的经济往来，结合新生活化妆品公司与原告陈富之前签订过《专卖合同》的事实，可以确认《退回押金协议》中的甲方即指新生活化妆品公司。该协议真实有效且对双方均具有约束力。所以法院对被告该项答辩意见不予采纳。涉案协议中约定新生活化妆品公司在原告全部恢复房屋时验收合格后两周内完成退款，原被告确认该房屋已经全部恢复，被告称房屋不需要收回，被告得知房屋全部恢复后已经经过一定时间，被告仍未验收，法院认定已过合理的检验期间，视为退回押金条件成就，原告要求被告履行协议约定，退回押金 3 万元的诉讼请求，有事实和法律依据，法院予以支持。综上，法院判决被告新生活化妆品公司于本判决生效后十日内退还原告陈富押金3万元。

被告新生活化妆品公司不服一审法院作出的判决，提出了上诉，经过二审法院审理，二审法院认为，一审法院的判决没有错误，新生活化妆品公司的上诉没有依据，应予驳回。二审法院作出判决驳回上诉，维持原判。

自此，这场官司结束了，陈富拿到二审判决书后，向法院执行部门申请法院对新生活化妆品公司强制执行，最终拿到了退还的押金3万元。

法理分析

（一）什么是合同

什么是合同？合同分为很多种，在生活中，我们买东西也好，跟别人合伙做生意也好，借钱也好，其实都发生了合同关系，有的时候会记得写下书面合同。有的时候两个人比较熟悉，没有写书面的材料，但也形成了合同关系，只不过是口头的合同，将来有矛盾的时候对方不认可，就会面临无凭无据的举证困难。我们管这些地位平等的个人或单位之间发生的与财产或身份相关的关系叫作合同。也就是说，当我们跟别人发生了金钱、财物上的关系，经常说写个凭证，这实际上就是合同。我们生活中遇到的合同，大部分都是《合同法》里调整的合同关系。根据合同法规定，合同可以分为买卖合同、赠与合同、借款合同、租赁合同、承揽合同、建设工程合同、运输合同、保管合同、委托合同等。合同法里有专门的法律条款讲上述这些合同，我们把这些合同称为有名合同，这些合同很常见，老百姓也经常遇到，所以合同法给这些合同规定了专门的名称。除了这些有名合同，实践中还存在大量合同法里没有规定名称的合同，但是它们也由合同法调整，我们把它们叫作无名合同，也就是没有专门的法律上赋予的名称，比如借用合同等。

本案中的陈富和新生活化妆品公司签订的《专卖合同》和《退回押金协议》都是合同，也是属于《合同法》调整。在这个案例中，法院首先要适用的法律条文是《合同法》第八条。该条规定，依法成立的合同，对当事人具有法律约束力。当事人应当按照约定履行自己的义务，不得擅自变更或者解除合同。依法成立的合同，受法律保护。

（二）合同的效力

《合同法》第八条告诉我们，双方通过协商达成了合同，就对双方都有法律效力，也就是不能随意反悔，俗话说，君子一言，驷马难追，也是这个意思。自己签下的字，如果随意违背，可能要承担一定的责任。这就是合同的效力。

合同不一定是双方一签完字就有效的，合同的效力除了合同有效，还有合同无效，除此之外还有其他情况，比如可撤销的合同，由于实践中不多见，本文不涉及。一般来说，“依法成立的合同”只要符合合同法规定，双方签字的合同都是有效的。这个有效的意思就是当事人应当按照约定履行自己的义务，不得擅自变更或者解除合同。法律上有一句谚语说：“合同是当事人之间的法律。”所以，我们对待自己签订的合同也应该考虑周全。一旦确定下来签订了合同，对在合同上签字的人来说就可能有了法律效力，必须按照合同约定尽到自己应该尽到的义务了。

合同无效，对当事人没有法律拘束力，但是对合同无效有过错的，即使合同对他没有约束力，仍然有可能需要按照他的过错承担法律责任，所以，签订合同的时候我们也应该注意合同的效力，不能觉得合同无效就对自己没有约束力了，从而带来其他的法律责任。按照《合同法》第五十二条规定，有下列情形之一的，合同无效：（一）一方以欺诈、胁迫的手段订立合同，损害国家利益；（二）恶意串通，损害国家、集体或者第三人利益；（三）以合法形式掩盖非法目的；（四）损害社会公共利益；（五）违反法律、行政法规的强制性规定。如果合同属于这五种情况的，就是无效的，签订合同的人就白忙活一场了，如果有过错，反而可能需要承担其他法律责任。除此之外，还有一类无效专门是指合同中的免责条款，《合同法》第五十三条规定，合同中的下列免责条款无效：（一）造成对方人身伤害的；（二）因故意或者重大过失造成对方财产损失的。免责条款是签订合同的一方特意为了保护自己，把自己签合同的风险降到最低，免除了自己的责任，违反了公平原则。如果免责条款有上述两种情况的，也是无效的，不发生法律约束力。

（三）合同的主体

《合同法》第八条提到了“依法成立的合同，对当事人具有法律约束力”，这里的“当事人”简单来说就是签订合同的主体，合同有两方签订的，有三方或更多人签订的，总之，谁签订合同，谁就是当事人。一般情况下，合同当事人一方只能向另一方合同当事人提出与合同相关的请求，而不能向合同当事人以外的其他人提出请求。这就叫合同主体的相对性。也就是说，合同的约束力仅针对签订合同的主体，不针对其他与合同不相干的人。

但是要注意的是，签订合同的主体不一定是签字的那个人，因为签订合同的主体可以委托别人替自己签字，这时候，签字的人是签订合同主体的代理人，而真正的合同主体并不是签字的人。

例如上述案例里，《专卖合同》的签字是原告陈富亲笔签字和被告新生活化妆品公司盖章的，对于个人来说，签字就是本人签字或按手印，对于公司来说，签字就是盖上公司的公章，这就很容易看出这份合同是陈富和新生活化妆品公司订立的。陈富和新生活化妆品公司是签订合同的当事人，他们要按照这份合同履行义务。《退回押金协议》的签字是何玉和于有财签的字，何玉和于有财实际上都是代理真正的合同主体陈富和新生活化妆品公司签字的，所以他们不是合同的签订主体。《退回押金协议》真正约束的是陈富和新生活化妆品公司。陈富派出的代表就是陈富的妻子何玉，并且陈富本人也到场，陈富委托他的妻子何玉代替自己在协议上签字，所以陈富才是《退回押金协议》的主体。新生活化妆品公司当时的法定代表人于有财代表新生活化妆品公司在协议上签字，虽然新生活化妆品公司没有盖章，但于有财是这家公司的法定代表人，根据《民法总则》第六十一条规定，法定代表人以法人名义从事的民事活动，其法律后果由法人承受。结合《退回押金协议》内容和双方之前的合作，虽然后来新的法定代表人不认可于有财签字，但是法院仍然认为于有财是以新生活化妆品公司名义签订的合同，所以新生活化妆品公司是这份协议的签订主体。最终判决由新生活化妆品公司退还陈富押金。

知识拓展

（一）如何履行合同

我们知道了有效的合同对当事人有法律约束力，当事人应当按照合同约定履行合同义务。简单地说，双方在合同中约定的事项怎么实现，按照双方的约定来做就是依照合同履行。在这里要注意几点：

首先，谁来履行合同。根据上述的合同相对性，合同约束的是签订合同的主体，如果没有明确约定其他人可以替签订合同主体履行义务，就该由签订合同的主体履行义务。比如上述案例中《退回押金协议》约束的是陈富和新生活化妆品公司，那么谁向陈富退回押金呢？应该是新生活化妆品公司，因为新生活化妆品公司是真正的合同主体，陈富想要退钱也是应该找新生活化妆品公司，而不能找别人，比如陈富是通过朋友介绍认识新生活化妆品公司的，但陈富的朋友对陈富就没有这个退回押金的义务。

其次，向谁来履行合同。也是依据合同的相对性原则，除非另有其他约定，当然是签订合同的一方向另一方履行合同义务，上述案例中，新生活化妆品公司应该把钱退给谁呢？应该退给陈富。新生活化妆品公司如果觉得之前通过陈富朋友介绍的，也跟陈富朋友熟悉，就还给陈富朋友了。结果陈富不认可，那新生活化妆品公司还需要向陈富退回押金。这种情况常见于借款合同，借款的人通过一个朋友认识出借人，到时候该还款了，可能天天见朋友，却不容易找到出借人，所以也没留意，直接把钱还给朋友。结果出借人最后不认可，非要借款人再向自己还款。这就是说，向谁来履行合同一定按照合同约定，向合同主体履行。如果向合同当事人之外的其他人履行，需要书面约定。

（二）想解除合同怎么办

有效的合同能约束当事人，但是生活出现了变化，合同履行不下去了或者当事人遇到了其他问题不能履行合同了怎么办？没关系，合同法规定了解除合同的情形，依据《合同法》第九十三条，当事人协商一致，可以解除合同。当事人可以约定一方解除合同的条件。解除合同的条件成就时，解除权人可以解除合同。根据这条规定，当事人在签订合同的时候，各方就商量着把解除合同的条件写在合同里就行，一旦出现合同约定的解除合同的情况，就可以解除合同。还可以一起约定解除合同以后各方责任的承担，这样避免发生纠纷产生矛盾。

如果双方没有在签订合同时想起来把解除合同的情形写进去，合同法也规定了几种情况，如果符合法律规定的条件，当事人要求解除合同。根据第九十四条规定，有下列情形之一的，当事人可以解除合同：（一）因不可抗力致使不能实现合同目的。不可抗力指的是人无法预见、不能避免和不能克服的客观情况。比如，自然灾害，法律也不会强制当事人履行无法履行的义务。因为不是当事人自己故意违反合同的，所以发生不可抗力，当事人签订的合同目的不能实现，当事人可以解除合同。（二）在履行期限届满之前，当事人一方明确表示或者以自己的行为表明不履行主要债务。（三）当事人一方迟延履行主要债务，经催告后在合理期限内仍未履行。（四）当事人一方迟延履行债务或者有其他违约行为致使不能实现合同目的。（五）法律规定的其他情形。（二）（三）（四）这三种情况都是签订合同一方当事人违反约定，故意不履行合同义务，出现了严重违约行为，这种情况下，自然也没有继续履行合同的必要了，当事人可以解除合同。违约的一方需要对自己的行为承担违约责任。最后，《合同法》还规定了一个其他情形用来解决现有法律没有具体规定的情况，如果符合解除合同的条件，合同当事人也是可以解除合同的。

普法提示

虽然生活中我们不会特别留意，但合同与我们普通村民的生活息息相关。我们去买个菜，发生了买卖合同关系；我们去借点钱，就发生了借款合同关系；我们自己的房子想租给别人，也发生了租赁合同关系……合同就在我们身边。不了解法律，不了解合同，当遇到问题时，我们村民朋友容易没有头绪，不清楚如何解决。而学习法律，了解我们国家合同法，对我们每个人的生活或工作都有明显的帮助。学法、守法、用法，通过对合同法的了解，我们村民朋友可以拿起法律的武器，武装自己，保护自己，预测自己的行为给自己带来的后果，从而更好地作出选择。

案例三

务工受伤赔偿

——提供劳务者受害责任纠纷案件的法律分析

卢震①

外出务工人员千千万万，各行各业都能看到他们勤劳的身影，有的在重点工程工地加班加点，有的风雨无阻地快递送餐，有的不怕脏累回收废旧物资，有的为我们的生活安宁默默值守。他们大多收入微薄，缺少基本的职业保障，为了多挣一些，甚至要从事具有风险的作业。正是因为务工人员缺乏专业培训、技术指导以及安全防护设备，往往无法避免地发生危险，如果发生严重损害后果且未得到积极救治，甚至导致劳动者严重伤残。一旦发生损害，受害人对如何进行索赔可能一无所知。而用人单位又会找各种借口百般推脱，让受害人求偿不得。我们通过分析下面的案例，来就一些关键问题进行讲解。

案情回顾

张小飞与其爱人杜小燕以及同乡来北京打工多年，主要从事拆除作业，这个工种又脏又累，工期短，任务重，还要受到业主的各种限制。王大拿是一个工程队负责人，实际就是包工头，他借用具有拆迁资质的

① 北京市西城区人民法院民八庭法官助理。

深大公司的名义进行施工，并支付该公司一定管理费用，这也是典型的工程承包模式。

2015年6月1日，国建装饰公司与深大公司签订工程承包合同，由发包方国建装饰将某大厦二、三层室内装修拆除工程发包给深大公司，施工项目包括并不限于室内天花吊顶、轻体隔墙、线管；灯具、配电箱、门扇；现场清理，垃圾出场防止遗撒并外运（也就是拆除作业和渣土外运）。工期为8个工作日，合同注明王大拿系深大公司的负责人，王大拿在该合同上签字。

杜小燕与王大拿熟识，王大拿把上述工程转给杜小燕的队伍。根据相关规定，楼宇施工要进行严格的备案登记，故王大拿将包括张小飞、杜小燕以及自己在内的17名施工人员的信息全部编入了所谓的花名册，并报送安监管理部门备案登记。备案同时，张小飞、杜小燕等人填写了《施工人员三级教育安全教育记录卡》，该记录卡针对本工程进行安全技术交底，但实际并没有对施工人员进行培训。张小飞是小学教育程度，安全教育卡填写内容均系照猫画虎式抄写，连上面的字都没有认全。

施工还没开始，问题就来了。拆除现场在写字楼的二层，原方案为使用货运电梯运送拆除垃圾，但物业单位考虑此种运输方式不安全、不卫生，予以否决。王大拿架设小型提升机（俗称鸡公吊的设备），将建筑物料从两扇拆开的窗户进行运送。6月22日晚8时许，张小飞用鸡公吊往楼下吊送装修垃圾，在调整吊臂方向时，不慎被机器尾部扫中腿部失去重心，从三层阳台坠落至一层外地面受伤。

张小飞受伤后被送入医院治疗，留院观察3个月。被诊断为骨盆骨折、右小腿骨折、腰椎骨折、肝脏和肺部损伤。此后，张小飞进行多次手术治疗，医疗费合计支出40余万元。虽然建设单位和王大拿垫付了大部分医疗费，但张小飞出院时下肢骨折并未痊愈，仍需后续手术治疗，而且今后生活基本只能依靠轮椅了。

张小飞夫妇身无分文，无法继续就医、维持生活，无奈之下多次找到发包方、承包人以及王大拿要求给予救济，但各路求告无门。发包方国建装饰称，其已严格遵照合同进行发包，承包方深大公司具有施工资质，故就张小飞损伤无任何责任，不同意赔偿。承包方深大公司称，实际施工是王大拿个人承包，其仅为挂靠单位，张小飞受伤与其无关。王大拿称，他已将工程包给了张小飞爱人杜小燕，杜小燕才是包工头，如果涉及赔偿，张小飞也应找杜小燕进行赔偿。

一个个闭门羹让张小飞只得选择通过诉讼来维护自己权益。法律援助中心的律师接受了张小飞的委托，代理他提起了诉讼。于是，张小飞将王大拿、国建装饰公司、深大公司作为共同被告起诉到法院。

法院受理案件后，首先根据原告张小飞的申请进行司法鉴定，鉴定认定张小飞多处损伤，综合评定伤残等级为八级。这样就确定了张小飞因为伤残丧失生活能力的程度，也就有了赔偿标准。

关于原告张小飞摔伤的事故认定，安全生产监督管理局在事发之初就进行了调查，其研究报告对责任分析如下：1. 本次事故涉及的项目各方资质，工程手续齐备，施工方案完整，施工记录齐备；2. 经检查，事故现场各层临边未设有安全护栏及安全防护网，施工现场垃圾、杂物、各种材料、工具摆放无序影响正常操作，分包单位未设有现场安全员不符合规范要求；3. 监理、总包及分包安全教育记录齐备，安全交底及安全知识培训及各方签字齐全；4. 该项目的总承包方为国建装饰公司，拆除工程由深大公司分包。事故当事人张小飞安全生产意识淡薄，高空临边作业未系安全带是导致事故发生的直接原因。分包单位深大公司未在施工现场设立安全员，且在高空临边作业时未设置安全护栏，未对现场施工人员违反安全操作规定的行为进行纠正和制止，对施工现场疏于管理应对事故负管理责任。该报告同时还认定，王大拿属于该项目的现场负责人，王大拿和张小飞等工人均为深大公司雇佣的劳务人员。

最终，法院认定分包方深大公司就张小飞损害后果承担主要责任，赔偿张小飞各项损失约20万元；张小飞就其损害后果自行承担次要责任；驳回了张小飞要求王大拿、国建装饰公司承担赔偿责任的诉讼请求。深大公司不服一审判决，提起上诉，后二审法官进行了调解，赔偿金额基本没有变动，只是把支付赔偿款期限延长到半年时间。

法理分析

（一）劳务关系中雇主如何赔偿

《侵权责任法》第三十五条规定："个人之间形成劳务关系，造成他人损害的，由接受劳务一方承担侵权责任提供劳务一方因劳务自己受到损害的，根据双方各自的过错承担相应的责任。"务工人员在提供劳务过程中受到伤害的，实施过错规则原则，即要根据务工人员与雇主对于损害结果发生各自的过错程度确定责任的大小。

在实际务工受害的案件当中，造成最终伤害的原因往往比较复杂，涉及两个或者多个原因，即所谓"多因一果"的情况。《侵权责任法》第十一条、第十二条以及第二十六条等对此种情况下如何确定责任进行了规定，概括起来主要有以下三种情形：

1. 二人以上分别实施侵权行为造成同一损害，每个人的侵权行为都足以造成全部损害的，行为人承担连带责任。

2. 二人以上分别实施侵权行为造成同一损害，能够确定责任大小的，各自承担相应的责任；难以确定责任大小的，平均承担赔偿责任。

3. 被侵权人对损害的发生也有过错的，可以减轻侵权人的责任。

上面的案例中，因为临时改变了渣土运送通道（从电梯外运改为窗旁吊送），分包方深大公司没有就新增加的风险进行必要防范，比如架设一道护栏，以防范人员或物品掉落。现场没有安全员负责安全指导，规范施工人员行为。这是分包方的责任，属于管理责任。而张小飞作为施工人员，临边作业没有系安全绳，违反操作规范。根据当事人陈述，作业现场根本就没有悬挂安全绳的固定点，又何来佩戴之说？所以，施工前安全交底、安全教育都是流于形式罢了。因此，深大公司没有针对新增加的施工限制条件及时调整和增设安全方案，使得施工环境出现安全隐患。而张小飞对于新的机器设备操作不熟悉，未认真掌握操作方法，也是导致损害发生的原因。因此，法院最终认定张小飞的损害系由自身责任以及分包方责任共同造成，二者各付其责。

（二）安全生产事故中发包人与分包人如何赔偿

《最高人民法院关于审理人身损害赔偿案件适用法律若干问题的解释》第十一条进行如下规定："雇员在从事雇佣活动中因安全生产事故遭受人身损害，发包人、分包人知道或者应当知道接受发包或者分包业务的雇主没有相应资质或者安全生产条件的，应当与雇主承担连带赔偿责任。"根据以上法律规定，如果因雇主没有相应资质或者安全生产条件导致安全生产事故的，受害的务工人员能够证明发包人或者分包人知道或者应当知道雇主没有相应资质或者安全生产条件的，该发包人或者分包人应当与雇主承担连带赔偿责任。

上面的案例中，发包方国建装饰公司将拆除工程发包给深大公司，深大公司具有有效的拆除资质，因此，发包方国建装饰公司与承包方深大公司签订的施工合同形式合法，国建装饰公司对张小飞的损害依法不承担责任。分包单位深大公司对安全生产事故的发生存在过错，其作为张小飞的雇主，应当承担相应的赔偿责任。尽管张小飞夫妇系通过王大拿来到工地进行拆除作业，但由于王大拿系深大公司的职工，而非深大公司违法转包给王大拿，根据这层认定，王大拿则不需要承担赔偿责任。如果深大公司将该工程转包给王大拿个人施工，属于非法转包行为，那就应当由深大公司和王大拿承担连带责任。

知识拓展

可以说没有外出务工人员努力工作、勤劳奉献，很难想象如何支撑城市的高效运转。现如今，除了建筑行业吸收大量劳务人员，更多的是在服务行业中接触外来人员的身影。

网络平台的扩张，通过信息、资源共享，使得配送和快递等服务业直达千家万户，这种共享经济已经渗透到我们生活的每个角落。就拿配送业务来说，我们从 APP 上下单，“达达”“点必达”“京东快递”的骑士从各个超市或者仓库备好商品，马不停蹄地送货到你家门口的时候，你是否理解这中间各环节的法律关系？我们在审理中发现配送平台的法律责任不尽相同。比如，给外卖餐厅的配送，是由专门的劳务公司与快餐企业对接，如果快递过程中，骑士受伤了，那么由劳务公司负责救治。网约车平台则是由约车平台本身负责交通事故的赔偿，包括给司机投保意外险以及事故发生后对车内乘客及车外人的赔偿。而单纯配送平台，比如，“达达”则是每天在骑士抢到第一单后，扣除几元钱的保险费，由保险公司负责相应理赔，而平台并不承担法律责任。而“三通一顺”等大快递公司的特许加盟业务更琢磨不透，甚至在不同法院的判决中也有不同的认定思路。

适应信息时代的工作，就要求外出务工人员适应并掌握移动信息技术。像网约车司机或者骑士的劳务费并不是工资加提成，每笔账单都在支付宝或者微信里生成，截取相关收入截屏，这样很快就可以计算受伤前的薪金收入。当然，作为法官也要跟上时代的步伐，信息时代，取证、送达都是可以通过邮箱、支付宝、微信完成，查找当事人都可以用蚂蚁信用平台……今后审判的方式也一定会有更大的突破。

普法提示

（一）务工前需要认真培训

外出务工人员的一个特点是很多没有经过正规岗前培训，只是仗着年轻有力气，甚至有的自幼就随父母在京拾荒，基本学历都没有，连一般作业规范都没接触过，最多是跟着“师傅”学，不得要领。操作中出现意外的原因很多都是低级错误，有的是搭梯子没搭好滑下来把筋膜损伤了，有的是拆脚手架没系安全带掉下去的，有的甚至是被压面条机把手指碾断了。有的务工人员根本没有安全意识，只要能尽快挣到钱就大胆开工，十分冒进，甚至将风险视作儿戏。很多人员伤害的事件中，受害人自己多少都会有一定责任，特别是忽视作业规范、违反机械的操作要求等时有发生。一个小的工程，其资金仅为一两万元，可是救助所需的手术费就高达四五万元，加之工人没有意外伤害保险和工伤保险，发生伤害后，工程款拿不到了，很多人一年的收入就泡汤了。像鸡公吊这种比较简单的机械，仍然要进行安全培训，否则出了事故就会发生严重后果，不仅自己会酿成终身残疾，也会给家人造成严重的经济、精神负担。

随着社会科技水平的进步，施工操作要求越来越严格，合适的工具只有在懂得操作的工人手中才能做到事半功倍，由师傅“传帮带”的套路已经不能满足现代化工作要求，同样一种简单的施工要求，能不能理解要领，能否规范施工流程，都要进行认真培训。

因此，外出务工不能忽视专业技能的学习、培训，要对自己的身体、生命、家人负责。

（二）不可忽视保险的作用

很多外出务工人员从杂工干起，慢慢地接触管道修理、瓦工、木工等技术，他们起早贪黑、勤奋努力、不怕吃苦，但对生活没有长远规划，没有人想着上个保险分化风险，甚至有些用人单位说要办理三险的时候，都被他们以直接提高薪酬待遇为由拒绝，因为这也是一笔不小的收入。

据了解，北京市基建工程审批严格、规范，大型基建项目都要在网上公示，很容易查到建设方和总包方的信息。很多正规的工程都是将大部分技术含量较低的劳务分包给有资质的劳务公司，劳务公司再分派给各级队伍。这些劳务公司管理相对规范，有岗前安全技术等培训，工资和保险都有保障。如果发生事故，则由相应的保险垫付。这就类似于劳动者在工作中受伤，应当由单位或者由相应保险公司进行赔偿。

因此，外出务工应当提前了解用人单位的资质情况、劳动保障情况，要选择正规的单位，并询问单位是否给务工人员缴纳工伤保险或者人身意外险，慎重作出决定。

（三）劳务关系与劳动关系在赔偿上的区别

外出务工人员为其雇主提供劳务属于劳务关系，在劳务关系的工作过程造成损失如何承担赔偿责任，法律对此规定在某些方面是有别于劳动关系的。第一种情况是工作人员自己受到了损害，这种情况下，在劳务关系中提供劳务一方因劳务自己受到损害的，根据双方各自的过错承担相应的责任。如工人在施工中自己受伤，则要看是哪一方原因导致的，如果存在工人自己的原因，则由其自己承担相应的责任。如果存在业主指派工作不当或者提供的工具、材料不当，则由业主承担相应责任。而在这种情况下的劳动关系中，因执行工作任务受到伤害，工作人员应当认定为工伤，享受工伤保险，工伤保险实行无过错责任原则，不考虑劳动者的过错。甚至在用人单位存在强迫高负荷劳动等重大过错情况时，劳动者除有权获得工伤保险外，还可以就尚未完全满足赔偿需求的差额部分向用人单位主张民事赔偿。

第二种情况是第三人造成工作人员损害的，这种情况下，在劳务关系中，雇佣关系以外的第三人造成雇员人身损害的，雇员可以请求第三人承担赔偿责任，也可以请求雇主承担赔偿责任。雇主承担赔偿责任后，可以向第三人追偿。比如，工人被指派外出采购，在路途中被机动车撞伤，那么由谁赔偿？根据法律规定，工人可以向撞伤他的司机要求赔偿，也可以让雇主垫付救治费用，之后雇主可以向司机就已经垫付的部分进行索赔。这一法律规定，给予雇员（劳务人员）充分的救济途径。司机的赔偿能力强，就由司机直接赔偿，如果司机逃逸一时找不到，就先由雇主垫付。而在这种情况下的劳动关系中，也有着和劳务关系类似的规定，即“因第三人所致损害应由第三人承担赔偿责任，劳动者的伤害构成工伤的，可以向第三人主张赔偿，用人单位也应承担工伤赔付责任，保险机构和用人单位在赔付后，有权向侵权人追偿”。但是需要注意的是，在主张赔偿时，无论向谁主张权利，主张的赔偿金额都不能超过工作人员因受伤而应得的实际损失。

第三种情况是工作人员造成他人损害的，这种情况下，在劳务关系中，提供劳务一方因劳务造成他人损害的，由接受劳务一方承担侵权责任。但是作为提供劳务的雇员因故意或重大过失致人损害，应当与雇主承担连带责任。雇主承担连带责任的，可以向雇员追偿。

例如，受雇的提供个人劳务的施工人员在装修施工中防水层没处理好，厨卫出现渗漏，导致楼下住户被浸泡的损失，根据上述规定，应由雇佣工人的业主首先承担赔偿责任。业主承担责任后，可以再根据工人的过错主张赔偿。而在这种情况下的劳动关系中，劳动者因执行工作任务造成他人损害的，由用人单位承担侵权责任。但是在劳动关系中，对于工作人员存在故意或重大过失的，用人单位对劳动者的追偿有着较为严格的限制，虽然规定用人单位可以基于内部契约（比如公司章程、员工管理规定）向工作人员追偿，但是用人单位的追偿数额也受到了严格的限制。

案例四

发生交通事故后如何维权

——解析交通事故认定书在民事赔偿案件中的效力等

马维洪[①]

案情回顾

一天，在一条东西方向的大街上，唐僧由南向北横过马路时，遭他人骑行的自行车撞击倒地受伤。交警出具《简易程序处理交通事故认定书》，记载事发现场东 50 米处有人行横道，认定唐僧、六耳猕猴分别负事故同等责任。上述认定书当事人信息栏及身份证号栏处均记载了六耳猕猴的信息，唐僧、六耳猕猴均在该认定书上签字确认。

唐僧经医院诊断为创伤性脾破裂，经鉴定构成八级伤残。

此后，唐僧到法院对六耳猕猴提起了民事赔偿诉讼。诉讼中，六耳猕猴否认其为实际肇事方，称实际肇事方为案外人孙悟空，其仅为孙悟空代签事故认定书。法院通知孙悟空到庭陈述相关情况，孙悟空陈述其为实际肇事方，同意承担民事赔偿责任，事发时六耳猕猴系到场帮忙处理事故，代其签署事故认定书；此后孙悟空还与唐僧的代理人猪八戒协商赔偿事宜；孙悟空到庭后向法院出示其持有的部分原告医疗费原件。事发在场人员牛

① 北京市西城区人民法院民八庭法官。

魔王（六耳猕猴的朋友及同事）也到庭陈述相关情况，牛魔王称实际肇事方为孙悟空。关于事发经过，唐僧称，他记得事发时其倒地后，大概有个20岁左右的小伙子过来搀扶，要求与其私了，但自己没有同意，小伙子叫来救护车将他送至医院还垫付了医药费，其他情况不清楚。

为进一步查清事实，法院还向交警部门联系核实认定书真实性，相关交警部门确认认定书确系该单位出具。法院还调取了民警出警现场执法记录仪视频，经查看，孙悟空、六耳猕猴、牛魔王均在事故现场，视频中未见现场人员陈述肇事方姓名或交警询问肇事方姓名的信息，也未见唐僧、六耳猕猴在事故认定书上签字过程的记录。此外，孙悟空与猪八戒共同签署1张字条，内容为“唐僧住院费用共计81872.14元，其中孙悟空支付人民币21712.57元，猪八戒支付人民币60159.57元”。唐僧代理人猪八戒称其确实与孙悟空协商过赔偿事宜，上述字条为孙悟空当场书写，孙悟空当时自称为代理人，唐僧不认为孙悟空是肇事方，上述字条只是确认了垫付费用的数额。六耳猕猴称事发时其为孙悟空垫付唐僧医疗费，后孙悟空通过现金及转账方式将垫付款项返还给六耳猕猴。最终，法院认为在案证据不能推翻事故认定书记载的事实，认定六耳猕猴才是该起交通事故的肇事“真凶”，判决六耳猕猴承担事故50%的赔偿责任，共计赔偿唐僧10余万元。那么，法院认定撞伤唐僧的“真凶”是六耳猕猴而不是孙悟空的法律“照妖镜”有哪些呢？

法理分析

（一）交通事故赔偿案件的核心证据——交通事故认定书

交通事故认定书是在交通事故发生后，交警接警、出警后，经过对事故现场勘查、对双方询问等程序，针对事故基本事实及责任依职权作出的具有法律效力的文书。根据《最高人民法院关于适用〈中华人民共和国民事诉讼法〉的解释》第一百一十四条规定，国家机关或者其他依法具有社会管理职能的组织，在其职权范围内制作的文书所记载的事项推定为真实，但有相反证据足以推翻的除外。必要时，人民法院可以要求制作文书的机关或者组织对文书的真实性予以说明。根据《最高人民法院关于审理道路交通事故损害赔偿案件适用法律若干问题的解释》第二十七条规定，公安机关交通管理部门制作的交通事故认定书，人民法院应依法审查并确认其相应的证明力，但有相反证据推翻的除外。在上述“真假美猴王”案件中，唐僧受伤事故发生后，交通管理部门出具事故认定书，该认定书上记载肇事方为六耳猕猴，六耳猕猴承认其在认定书上签字，但是主张其为代实际肇事方孙悟空签署。本案交警在其职权范围内作出的涉诉事故认定书记载的事项，应当推定事故认定书记载的肇事方情况为真实。也就是说，交通事故认定书记载的事实在司法诉讼中是会被自动默认为与客观事实相符的，如果有人对认定书有异议，就需要自己负责举证证明认定书记载事实与客观事实不符。

（二）需要举证到什么程度才能推翻事故认定书？

根据《最高人民法院关于适用〈中华人民共和国民事诉讼法〉的解释》第一百零八条规定，对负有举证证明责任的当事人提供的证据，人民法院经审查并结合相关事实，确信待证事实的存在具有高度可能性的，应当认定该事实存在。对一方当事人为反驳负有举证证明责任的当事人所主张事实而提供的证据，人民法院经审查并结合相关事实，认为待证事实真伪不明的，应当认定该事实不存在。《最高人民法院关于审理道路交通事故损害赔偿案件适用法律若干问题的解释》第二十七条规定，公安机关交通管理部门制作的交通事故认定书，人民法院应依法审查并确认其相应的证明力，但有相反证据推翻的除外。上述“真假美猴王”案件中，如果六耳猕猴主张其本人签字确认的事故认定书记载内容不属实，其负责提供的相反证据应达到足以推翻相关事实认定的程度。孙悟空与唐僧代理人猪八戒签署关于医疗费的字条，从内容表述上看仅为费用支付情况的确认，未见关于事发过程、事故肇事方、责任方的表述内容；通过该字条无法确认事故肇事方系孙悟空。此外，孙悟空、牛魔王的陈述直接否认事故肇事方为六耳猕猴，但是牛魔王与六耳猕猴系朋友关系，唐僧对孙悟空、牛魔王二人的陈述内容亦不予认可；除六耳猕猴陈述外，本案的其他证据亦无法与孙悟空、牛魔王的陈述内容形成相互印证；经查看警方出警过程执法记录仪视频，全程未见肇事方为孙悟空的相关陈述。所以，法院认为现有证据不足以推翻交通管理部门制作并由六耳猕猴本人签字确认的事故认定书所载明的事实。

由上述“真假美猴王”案例及分析可以看出，当事人要推翻交通管理部门出具的交通事故认定书非常有难度，举证需要达到的证明标准很高，需要达到本证的证明程度，也就是说有异议者提供的证据要足以让法官确信事故认定书记载事实与客观事实基本或者完全不符。在审判实践中，一般只有具有“时空穿越”功能的即可以回放事故完整过程的路面监控视频或者车载行车记录仪视频等最直观、客观的证据才具备推翻交警事故认定书的能力，其他不能直接证明事故完整过程的辅助证据即使数量再多，也很难具备推翻事故认定书的能力。

知识拓展

（一）交通事故损失赔偿处理途径——和解、调解、诉讼哪个途径更好？

发生交通事故后，交警会在事故现场或者在交警队为双方当事人主持调解，因为交警队是第一时间介入处理交通事故的公权力部门，交警比较了解事故事实，对交通事故责任认定具有很高的专业判断能力，所以交警主持调解具有其他纠纷解决方式不可比拟的优势，而且交警主持调解比其他纠纷方式更加节省事故当事人的时间和精力，可以称得上是优质高效的解决方式之一。但是，对于造成重大人身伤亡的案件来说，因为涉及大额甚至巨额赔偿，需要肇事车辆的三者险保险公司一起参与赔偿事宜协商，而保险公司一般有自己的比较规范的赔偿认定标准，交警主持调解方式在此类案件中就有可能效果有限。和解是通过双方自愿协商，就损失赔偿项目、金额达成一致意见后解决双方纠纷的一种方式，这种方式时间和精力成本最低，应该也是效率最高、效果较好的解决方式，一方面可以确保利益受损的当事人尽快获得赔偿，另一方面可以让双方尽快从交通事故的不利影响中走出来，不因为处理交通事故后续事宜对双方的工作、生活造成更多的困扰。但是，诉讼外的调解与和解结果不具有强制执行效力。法院诉讼有比较严格的程序，优点就是有利于查清事实，裁判结果具有终局性，一方不履行判决义务时另一方可以直接申请强制执行；但是法院诉讼周期较长，而且当事人需要支出诉讼费、鉴定费、律师费等各种额外费用。

（二）法定赔偿项目及其他合理损失有哪些？

交通事故法定赔偿项目主要是指法律及相关司法解释中明确列明赔偿项目名称及相应计算方法的损失项目，主要法律依据有《侵权责任法》第十六条、第二十二条，该条款规定了医疗费、护理费、交通费、误工费、残疾赔偿金、残疾生活辅助器具费、丧葬费、死亡赔偿金、精神损害抚慰金这几项法定赔偿项目；《最高人民法院关于审理人身损害赔偿案件适用法律若干问题的解释》第十九条至第二十九条则详细规定了上述各项费用的计算方法，还规定了被扶养人生活费、营养费、住院伙食补助费、住宿费等，按照《最高人民法院关于适用侵权责任法的相关司法解释》规定，法院最终判决中被扶养人生活费这一项计入残疾赔偿金中，但是计算方法没有变化；《最高人民法院关于审理道路交通事故损害赔偿案件适用法律若干问题的解释》第十五条则规定了车辆维修费、车辆所载物品的损失、车辆施救费用、车辆重置费、经营性车辆停运损失（例如出租车因事故受损维修期间停运造成的出租车司机“份子钱”、运营收入等损失）、替代性交通工具费（例如驾驶私家车上下班的人可以主张事故受损车辆维修期间乘坐地铁、公交车、出租车等通常公共交通工具支出的费用）为法定赔偿项目。此外，《侵权责任法》第十五条、第十九条等概括性规定，交通事故造成的其他合理损失，即使不属于上述法定赔偿项目范围，法院也可以根据实际情况认定该项合理损失为交通事故赔偿项目，判定由相关责任人予以赔偿。因为财产和经济损失形式千变万化，所以法律及相关司法解释无法穷尽列明各种损失的具体名称，但是根据民事赔偿中“填平合理损失”的原则，只要依据具体案情，可以确认相关损失属于交通事故导致的合理的、不可避免的损失，受害人就可以主张该项费用赔偿。例如一起交通事故中，小学二年级学生小宝严重骨折，肇事司机负事故全部责任，小宝因为需要在家养伤，长达半年时间无法正常到学校上课，小宝的家长陈某为了小宝学习不掉队，就聘请了家教老师为小宝补课支出相关补课费，这种情况下，小宝补课是交通事故导致的不可避免的合理损失，虽然不能归类到上述法律及司法解释列明的法定赔偿项目中，但是法院依然可以认定补课费的合理性并支持相关诉求。

（三）交强险及商业三者险能赔偿哪些损失？

上述法定赔偿项目中，大部分损失属于交通事故造成的直接损失，例如医疗费、护理费、交通费、误工费、残疾赔偿金、残疾生活辅助器具费、丧葬费、死亡赔偿金、精神损害抚慰金、被扶养人生活费、车辆维修费、车辆所载物品的损失、车辆施救费用、车辆重置费，这些费用首先由交强险予以赔偿，如果有超过交强险限额部分的损失则由商业三者险予以赔偿。上述的经营性车辆停运损失、替代性交通工具费、小宝的补课费等属于事故间接导致的合理损失，但是不在保险赔偿范围内，应当由侵权人按照责任程度予以赔偿。此外，交强险范围赔偿只分两种情况，一种是承保车辆一方负有事故责任，不论责任程度是全部、主要或者是次要，交强险限额均需要全额赔偿；另一种情况是承保车辆一方完全没有事故责任，这种情况下交强险仍然需要予以赔偿，只是赔偿限额比较低，医疗费项下和死亡伤残项下只按照最高保险限额的10%予以赔偿，财产损失项下则仅以100元为限。商业三者险实质上是肇事车辆投保人与保险公司之间签订的保险合同，所以商业三者险可以赔偿哪些损失，主要根据商业三者险合同条款来确定，通常只赔偿事故直接造成的损失。商业三者险完全根据事故责任大小来确定赔偿比例，如果承保的车辆一方完全没有责任，那么商业三者险就不予任何赔偿。需要特别注意的是，如果出现肇事逃逸、醉驾等违法情形，商业三者险免赔条款明确约定不予赔偿，所以车辆投保人在签订相关商业三者险保险合同时一定要仔细阅读合同中的免责条款，如果有不能理解的地方务必及时向保险员询问，要求保险员给予解释说明。

普法提示

第一时间拨打报警电话，联系交警出警处理，肇事一方千万不能存有规避承担法律责任的侥幸心理而逃逸或擅自离开事故现场，肇事后逃逸是最愚蠢的一种办法，肇事逃逸后果很严重，轻则导致保险拒赔，大幅度加重自己的经济赔偿负担，重则可能触犯刑法。

将自己知晓的事故过程向交警如实陈述，如果有车载行车记录仪，那么可以提供给交警查看以便交警尽快查清事实作出责任认定。仔细阅读交警出具的事故认定书，确认记载事故信息真实、完整后再签字，对于事故造成除车辆受损以外的随身重大财物损失（例如手机、贵重首饰等）情况一定要让交警记录到事故认定书中，留作将来认定事故损失的有效证据。如果不在事故认定书中记录财物损失情况，将来因为财产损失提起诉讼主张权利，如果对方不认可，那么很可能因为证据不足导致相关损失赔偿诉求被法院驳回。如果因为伤情较重送医等原因需要他人代签事故认定书，一定要注意事故当事人信息务必填写事故本人真实信息，代签人写明代签情况，不能完全以代签人本人信息取代事故当事人本人信息。

在报警的同时如果有人员受伤，也要第一时间拨打急救电话，避免因就医不及时造成更严重的人身伤亡后果。在交警、急救车到场后，尽快配合交警、急救人员将受害人送到附近医院就医，因为情况紧急，可能需要肇事方垫付受害人的急救费、医疗费，出现这种情况，肇事方如果有条件可以尽量垫付，但是要保留好相关凭证。法院诉讼中，有不少案例是肇事司机一方主张垫付过相关款项，但是又没有相关凭证，而受害人又不认可，在这种情况下，法院很难确认肇事司机垫付的事实。如此一来，垫付的款项就无法用来折抵赔偿款了。

如果对交警出具的事故认定不服，也不要拒绝在事故认定书上签字；如果仅仅因为拒绝签字，事后又不尽快搜集证据找交警队交涉复核，等于主动放弃了申辩的机会，将来即使到了法院诉讼，也会因为缺乏有效证据很难推翻拒签的事故认定书。正确的做法是，可以在签字的同时注明不认可事故认定，之后在第一时间找事故认定书签章单位（交警支队）申请复核并申请交警部门调取事发过程路面监控等能直接还原事故过程的相关证据。需要特别提醒：一般路面监控录像有特定保存期限，例如，某市路面监控一般是高清录像保存一周，普通录像保存一个月，如果不及时找交警队交涉并申请调取监控录像，一旦过了监控录像保存时间，到法院诉讼时才想起来申请法院调取，法院也将无能为力。路面监控录像或者车载行车记录仪是可以还原事发过程的最直观的直接证据，所以在交通事故案件中特别重要。

如果事故双方友好协商后就事故损失赔偿事宜达成一致意见，一定要签署书面协议书并保留好相关证据，协议书至少应该包括以下内容：双方对事故事实的确认意见、赔偿项目和具体数额、赔偿期限及支付方式、垫付项目及其具体数额、垫付费用如何折抵、纠纷是否一次性终结等。还要注意，如果是事故当事人本人不到场仅由委托代理人代为签署赔偿协议书的，务必让对方提供本人亲笔书写或者签章的授权材料。

案例五

物件致人损害

——解析《侵权责任法》第九十一条物件损害责任

张子才[①]

案情回顾

一天傍晚，在某市的一条主要干道，张某驾驶车由东向西行驶时，由于道路井盖未盖严，导致原告张某的车辆失控撞击中心护栏，并与对向行驶的崔某驾驶的小客车相撞，造成崔某车辆侧翻。

事故造成崔某及原告张某受伤，道路中心护栏损坏。事故发生后，路人小红协助张某将崔某及其车上乘客从车辆中救出，并用一块遮阳板将未盖严的井盖挡住。经交通大队认定，张某负此次交通事故全部责任，崔某无责任。该案造成张某支付车辆维修等各项费用 30 余万元。

张某起诉至法院，他认为导致本次事故发生的井盖所有人及维护保养单位为雷音寺公司。张某与崔某发生交通事故的原因系因雷音寺公司对道路井盖保养不到位，导致张某在正常驾驶过程中车辆失控，与崔某驾驶车辆碰撞，造成张某受伤、两车损坏、道路设施受损。根据《侵权责任法》第九十一条之规定，由此给崔某造成的损失应当由雷音寺公司承担。张某

① 北京市西城区人民法院民八庭法官助理。

要求雷音寺公司赔偿自己 305040 元。

被告雷音寺公司辩称，对张某所述事故情况认可。但事故发生时正在下雨，张某未尽到驾驶注意义务。此外，雷音寺公司在事故期间对事故井盖进行了正常巡查，故雷音寺公司认为对本次事故其应当与张某承担共同责任。

法院经审理认为，城市公共设备、设施的管理者对其管理的公共设备、设施负有安全保障义务，管理者应定期采取维护、修缮、保管、巡查等安全生产措施，减少安全生产事故的发生。管理者未尽到上述义务，导致公共设备、设施造成他人损害的，应承担相应的赔偿责任。涉案井盖位于主要交通干道，道路通行车辆密集、频繁，对于路面井盖的质量安全要求更高，同时安全风险也比其他位置的设备更大，雷音寺公司作为井盖的管理者负有更大的注意义务。雷音寺公司虽在事故当日对道路进行了巡查，但未排除相关隐患，因而雷音寺公司对此次事故应承担全部责任。

因此，张某支付崔某的车辆修理费 305040 元为张某的合理损失，应由雷音寺公司负担。依据《侵权责任法》第六条第一款、第二十八条、第九十一条的规定，法院作出如下判决：被告雷音寺公司赔偿原告张某垫付车辆修理费 305040 元。

由此不难看出，本案的争议焦点在于雷音寺公司是否尽到了对涉案井盖的管理责任？雷音寺公司在事故期间对涉案井盖进行了正常巡查，而这一行为又能否减轻被告公司的责任？关于窨井井盖等物件致人损害这类案件责任怎么分配，法律是如何规定的？针对这些问题，我们将在接下来进行探讨。

法理分析

（一）我说“错”，你来驳

过错推定与举证责任倒置是审理物件损害类案件的重要特征。在民事案件诉讼过程中，通常是“谁主张谁举证”，但本案却依法按照“过错推定原则”适用“举证责任倒置”。这是因为，《侵权责任法》第九十一条第二款规定：“窨井等地下设施造成他人损害，管理人不能证明尽到管理职责的，应当承担侵权责任。”这就是说，被害人作为原告主张窨井管理人承担侵权责任，自身不需要证明损害的发生是管理人的失职造成的，而应由被告即管理人就自身“尽到了管理职责”承担举证责任，证明不了，法律即推定其存在管理过错，应当承担侵权责任。这种原告主张，被告举证的情形，法理上称之为“举证责任倒置”。

该案中，受害人在诉讼中只需证明行为违法性即存在管理缺陷（违法行为）、损害事实和因果关系三个要件即为足，法官直接推定涉案井盖的所有人或者管理人具有过错。如果所有人或者管理人认为自己对于损害的发生没有过错，则实行举证责任倒置，自己承担证明自己确实对井盖尽到了管理职责举证责任。能够证明的，免除侵权责任，不能证明或者证明不足的，应当承担侵权责任。本案被告提供了巡查记录本材料，希望能够证明自己进行了正常巡查，即完成了“尽到了管理职责”。法院也将根据被告提交的证据加以认定和考量，而对于是否真正地“尽到了管理职责”，原告则不需要提供证据材料。

（二）“爱”你不是两三天，保护要在细微间

物件管理方有没有“尽到管理职责”是案件审理的关键，对普通路人

的爱护要到位，不能仅仅从主观上追求巡查制度的完备，更应关注保护措施的实效性，要发现细微之处的隐患，才能防患于未然。在本案庭审过程中，被告单位提供了完备的巡检记录，证明管理方履行了巡检义务。被告自认为尽到管理义务，那为何还要承担赔偿责任呢？

这是因为雷音寺公司看似尽到了管理职责，但实质上，确实发生了有人因窨井井盖松动受伤的事件，窨井的管理方本应该要而且能及时发现这一安全隐患。而实际上，被告没能发现并及时采取补救措施，结果导致了危害的发生。被告提供的巡检材料看似比较完备，公司看似尽到了管理的义务。但是，如果这个巡检制度再严密一点，发现安全隐患的能力和手段再跟进一点，如提供 24 小时看护制度，或者提供视频监控技术等，以及时发现安全隐患进行补救，就能避免危害的发生。事实上，雷音寺公司虽然在事故发生之前对涉案井盖进行了正常巡查，但并没有及时发现问题井盖，因而没能及时采取安置警示标识、及时修缮等措施，最终导致事故的发生，因此，雷音寺公司抗辩理由不能成立，原告有权利向被告公司主张损失赔偿。

（三）物件追责不算难，“挑三拣四”送一程

明确承担民事责任应当具备的条件是案件得出结论的基础。根据我国现行法律理论，行为人承担民事责任应当具备的条件，包括四个方面：1. 损害事实，即指侵权行为给受害人造成的不利后果；2. 违法行为，是指侵权行为具有违法性；3. 因果关系，是指侵权人实施的违法行为和损害后果之间存在因果上的联系；4. 具有主观过错（过错推定原则下该构成要件是被推定的），是指当事人的故意和过失状态。接下来我们将结合以上四点来梳理下本案的裁判逻辑及过程。

1. 损害事实是张某与崔某人员受伤、车辆受损。该案中，张某出示了

交警大队出具的交通事故认定单、车辆定损票据等单据，被告公司亦对损害事实没有异议，损害事实清楚。

2. 侵权行为具有违法性是指窨井井盖管理方没有依法确保井盖应有的安全状态，涉案井盖在事故发生时实际上处于松动的异常状态，管理方没有及时发现并采取措施，该行为就具有了可归责性。

3. 因果关系体现在由于涉案窨井盖松动，导致原告张某车辆轧上井盖后失控，进而撞向崔某车辆，引发了严重事故。

4. 该案的主观过错系过错推定原则下被推定的，被害人作为原告主张窨井管理人承担侵权责任，自身不需要证明损害的发生是管理人的失职造成的，而应由被告即管理人就自身“尽到了管理职责”承担举证责任，证明不了，法律即推定其存在管理过错，应当承担侵权责任。

一般来讲，城市供水、排水、燃气、热力、电力、路灯、通信、广播电视、交通信号、综合管网等由窨井盖产权单位进行管理。城区道路井盖，由市政部门管理。公共场所的窨井盖，由公共场所管理单位管理；小区井盖，由物业管理；公园、风景区等公共绿地内的窨井盖，由城市园林和风景区管理部门管理；其他的则由各街道办事处镇村居实行属地管理。如果因井盖破损、丢失造成车辆、行人损伤的，由管理人或者井盖的所有人承担赔偿责任，管理人承担责任的多少，关键是看管理人是否尽到必要管理责任，以及受害人对所受伤害是否存在过错和过错与伤害结果之间的因果关系的大小综合判定。综上所述，因涉案井盖的管理人具备承担民事责任应当具备的条件，不能证明自己对井盖尽到了管护责任，理应对原告承担侵权责任，因此，法院的判决事实认定清楚，责任判属于法有据。

知识拓展

（一）井盖“松动”与“缺失”带来的变数

窨井井盖事故责任的归属有时因井盖“松动”或“缺失”带来变数。相较于受害人有获得侵权赔偿的权益，受害人也负有一定的安全注意义务。简单来讲，在司法实践中基本会这么认定，如果因井盖缺失，受害人就负有注意义务；如果因井盖松动致人损害的，则受害人不负有注意义务。

这是因为井盖缺失下，行人应尽安全注意义务，这是最起码的义务，如果是井盖松动，对于行驶中的常人来说，是难以在事先判断该井盖是否松动及其危险性的，故不应赋予驾驶人安全注意义务。这样归责，才是客观、科学的，也才能够服众。

（二）以窨井井盖为代表的物件致人损害案件的索赔方式和内容

受害人因物件致人损害遭受重大损失的，侵害人应当赔偿损失。通常情况下，双方当事人可根据损失情况自行协商调解，双方协商无果的情况下可到有管辖权的法院提起诉讼，通过诉讼的方式解决纠纷。

根据我国法律规定，侵害公民身体造成伤害的，应当赔偿医疗费、因误工减少的收入、残废者生活补助费等费用；造成死亡的，并应当支付丧葬费、死者生前扶养的人必要的生活费等费用。

（三）“过错推定原则”在物件致人损害案件中的适用

过错推定原则是指在因果关系存在的前提下，如侵权人就其所致的损害不能证明自己没有过错，就应当承担赔偿责任，这对于受侵害人而言能够有效减少举证不能的责任，是维护弱势群体的一种体现。

根据我国法律规定，构筑物塌落损害赔偿纠纷，又称物件致人损害赔偿纠纷，是指构筑物或者其他设施发生脱落、坠落造成他人损害，其所有人或者管理人应当承担民事责任而引起的赔偿纠纷。建筑物、构筑物、其他设施及其悬挂物或搁置物脱落、坠落致人损害一般适用“过错推定原则”，因而在过错的证明上，实行举证责任倒置的证明责任。由于这种责任实行过错推定原则，因此，受害人在诉讼中只需证明行为违法性，即存在设置缺陷或者管理缺陷、损害事实和因果关系三个要件即为足，法官直接推定人工构筑物的所有人或者管理人具有过错。如果物件所有人或者管理人认为自己对于损害的发生没有过错，则实行举证责任倒置，自己承担证明自己没有过错的举证责任。能够证明的，免除侵权责任，不能证明或者证明不足的，应当承担侵权责任。这一点在文中所举案例中也有体现。

（四）“过错推定原则”在特殊侵权类案件的适用

除了以本案为代表的物件致人损害侵权类案件适用“过错推定”归责原则以外，我国现有民法及司法实践中，适用“过错推定”原则的案件还有：

1. 无民事行为能力人或限制民事行为能力人致人损害，其法定代理人或监护人的责任确定；

2. 国家机关或国家机关工作人员的职务侵权案件的责任确定；

3. 产品质量不合格造成他人损害的责任确定；

4. 饲养动物致人损害案件的责任确定；

5. 医疗事故纠纷案件的责任确定；

6. 其他应适用过错推定原则的。

上述类型的案件在行为人主观是否存有过错的方面上采取举证责任

倒置，将行为人有无过错的举证义务推给被告，让被告证明自己没有过错，否则将承担不利后果，这在一定程度上起到了保护受害人的作用。对大众而言，知晓并合理利用这一原则就能在准备相关案件的诉讼过程中减轻举证负担，集中有限精力做好应对工作，以最大可能保护自己的合法权益。

普法提示

“夺命井盖”“咬车井盖”屡屡上演，一次看似偶然的意外其实也隐藏着某种必然，但原本均可以避免，这需要物件的所有者及管理者的责任担当，也需要普通群众的防范意识增强。回顾《侵权责任法》第九十一条之规定，我们为大家做出以下提示：

（一）有危就得“安”

在公共场所设置路障或者在公共交通道路上施工，在路障撤除或施工完毕前，应当安设明显的警示标志或者采取安全措施，以提醒行人注意安全，避免发生危险。

（二）有安就要“炫”

施工人或物件管理人即使设置了安全警示标志或者采取了安全防护措施，但如果设置的警示标志不明显，采取的安全防护措施没有能够达到足以保障他人安全的程度，因此造成他人人身损害的，施工人或者管理人仍应承担民事责任。

（三）要炫更要“护”

施工人或者物件管理人是否设置了明显的警示标志和采取了安全措施，是以事故发生时的状态为准的。如果施工人或物件管理人在之前设置了明显标志或者采取了安全措施，但其后对这些标志和措施没有妥善维护，导致标志失灵或者被破坏，因此造成损害的，施工人或者物件管理人仍然应当承担民事责任；施工人或物件管理人承担民事责任后，有权向损坏警示标志或安全措施的第三人追偿。

（四）行人也需“慎”

行人在途经可能存在风险的物件路段时，即使物件没有明显的警示标志或安全防护措施，但如果路面坑洼等状况能够足以引起行人的警惕注意并预见有发生危险的可能性时，行人也应当提高注意力，以谨慎安全的方式通过存在危险隐患的区域，避免损害的发生。如果行人未能尽到足够注意的义务，对发生的损害后果同样应当承担相应的过错责任。

综上所述，物件的管理问题最重要的是管理人员要有责任心，发现井盖丢失或破损，马上解决问题，而不是简单地落实在纸面，例行巡查不能巡而不查，更不能查而不察，例行巡查未能发现安全隐患就要自查是否执行到位，是否做到了尽职尽责。对普通路人而言，法院会本着客观公正、科学严谨的态度评判被侵权人在被侵权中是否存在过错。在类似案件中，要对受害人被侵权是否具有过错进行归责，就回避不了要对其是否负有安全注意义务采取客观公正、科学严谨的态度进行评判，司法实践中，法院会结合具体案情进行过错判定。因此，正常行驶或行走的我们也要尽量仔细观察路况，远离可能存在危险的地方。

案例六

医疗纠纷

——解析《侵权责任法》关于医疗损害责任的相关规定

马维洪①

案情回顾

孕妇陈某到某医院就诊被诊断为“早孕”；孕8周开始在医院建卡定期产前检查，其中分别于妊娠14周、20周、28周、33周、36周、38周进行B超检查共计6次。九个月后，陈某入医院待产，被诊断为：巨大儿，临界骨盆，妊娠期糖尿病等。第二天，陈某在医院经剖宫产手术，产一子小宝。小宝出生后双下肢及足部皮肤青紫、水肿，双下肢无力，于出生当日被转入另一家医院住院治疗，经该医院临床及辅助检查，考虑小宝患有恶性肿瘤。小宝长时间陆续在多家医院治疗。此后，陈某与医院共同委托鉴定中心对医院医疗行为是否存在医疗过错等问题进行司法鉴定。一个月后，司法鉴定中心出具鉴定意见为：1. 医院对陈某产前检查存在过失（过错），与小宝缺陷出生存在轻微程度因果关系；2. 小宝目前构成二级伤残；3. 小宝目前需要完全护理依赖。因与医院就民事赔偿问题未能协商一致，陈某将医院诉至法院，要求医院赔偿其医疗费、护理费、残疾赔偿金、抚

① 北京市西城区人民法院民八庭法官。

养费及精神损害抚慰金等。法院经过审理后认为小宝自身残疾为先天性疾病所致，并非医院诊疗行为造成，但是医院的产检中注意及告知义务不足的过失侵害了陈某的生育知情权和选择权，最终法院判决医院赔偿陈某医疗费、护理费及精神损害抚慰金等合计 6 万余元。

法理分析

（一）医疗纠纷案件的主要法律依据——“一法两解释”

医疗纠纷属于特殊类型的民事纠纷，一般可以从侵权或合同两种不同角度处理，实践中患方通常选择从侵权角度主张权利，在法院立案的案由为医疗损害责任纠纷。医疗损害责任纠纷案件主要的法律依据包括《侵权责任法》第七章，《最高人民法院关于审理医疗损害责任纠纷案件适用法律若干问题的解释》以及《最高人民法院关于审理人身损害赔偿案件适用法律若干问题的解释》，此外还包括国家卫生主管部门颁布的医疗事务管理类规章，例如《病历书写基本规范》等。患者维权需要了解的法律依据主要就是上述“一法两解释”，国家卫生主管部门颁布的相关规章虽然法院判决医疗纠纷案件时可以参照，但是因为规章内容对于普通社会大众来说过于专业，如果纠纷涉及相关规定内容，建议患方咨询医疗纠纷专业律师等专业人士。《最高人民法院关于审理医疗损害责任纠纷案件适用法律若干问题的解释》对医疗纠纷诉讼中常见的法律问题作出了比较详尽的规定，发生医疗纠纷后患者及其亲属如果考虑通过法院诉讼主张权利，建议详细研读该司法解释规定。

（二）医疗纠纷案件中医方常见过错有哪些？

医疗损害责任属于特殊侵权责任，但是要构成医疗损害责任通常也应当具备普通侵权责任构成的四个基本要件，包括医院对患者实施了诊疗行为、患者发生了人身损害事实、患者损害与医院诊疗行为存在因果关系、医院诊疗行为存在过错。实践中，医院常见过错主要包括：

1. 告知不足过错，也就是医生没给患者说清楚。根据《侵权责任法》第七章第五十五条规定，医务人员在诊疗活动中应当向患者说明病情和医疗措施。需要实施手术、特殊检查、特殊治疗的，医务人员应当及时向患者说明医疗风险、替代医疗方案等情况，并取得其书面同意；不宜向患者说明的，应当向患者的近亲属说明，并取得其书面同意。医务人员未尽到前款义务，造成患者损害的，医疗机构应当承担赔偿责任。

2. 专业注意义务不足等医疗技术过错，也就是医疗质量有问题。《侵权责任法》第五十七条规定，医务人员在诊疗活动中未尽到与当时的医疗水平相应的诊疗义务，造成患者损害的，医疗机构应当承担赔偿责任。当然，如何判断医院在诊疗活动中未尽到与当时的医疗水平相应的诊疗义务，属于非常专业的问题，不单涉及临床医学水平的判断，还涉及具体社会环境的判断，例如，在偏远山区小医院的医疗水平肯定无法与大城市的三甲医院相比，所以在具体案件中，需要充分考虑患者的病情、医院技术水平等具体因素才能对医院是否尽到法律规定的“与当时的医疗水平相应的诊疗义务”作出相对客观、公正的判断。

3. 医疗产品问题，就是医疗用品质量不合格。《侵权责任法》第五十九条规定，因药品、消毒药剂、医疗器械的缺陷，或者输入不合格的血液造成患者损害的，患者可以向生产者或者血液提供机构请求赔偿，也可以向医疗机构请求赔偿。患者向医疗机构请求赔偿的，医疗机构赔偿后，有权向负有责任的生产者或者血液提供机构追偿。

知识拓展

（一）法定赔偿项目及其他合理损失有哪些？

医疗纠纷法定赔偿项目主要是指法律及相关司法解释中明确列明赔偿项目名称及相应计算方法的损失项目，主要法律依据有《侵权责任法》第十六条、第二十二条，该条款规定了医疗费、护理费、交通费、误工费、残疾赔偿金、残疾生活辅助器具费、丧葬费、死亡赔偿金、精神损害抚慰金这几项法定赔偿项目；《最高人民法院关于审理人身损害赔偿案件适用法律若干问题的解释》第十九条至第二十九条则详细规定了上述各项费用的计算方法，还规定了被扶养人生活费、营养费、住院伙食补助费、住宿费等，按照最高人民法院关于适用侵权责任法的相关司法解释规定，法院最终判决中被扶养人生活费这一项计入残疾赔偿金中，但是计算方法没有变化。此外，《侵权责任法》第十五条、第十九条等概括性地规定，诊疗过失直接造成的其他合理损失，即使不属于上述法定赔偿项目范围，比如，为维权复印病历材料的费用、司法鉴定费等，法院也可以根据实际情况认定该项合理损失为医疗纠纷赔偿项目，判定由相关责任人予以赔偿。因为财产和经济损失形式千变万化，所以法律及相关司法解释无法穷尽列明各种损失的具体名称，但是根据民事赔偿中“填平合理损失”的原则，只要依据具体案情，可以确认相关损失属于诊疗过失导致的合理的、不可避免的损失，患方就可以主张该项费用赔偿。

（二）和解、调解、诉讼哪个途径更好？

医疗纠纷发生后，首选的解决方式就是患方与医方自行协商解决，这种解决方式效率最高，因为患方与医方是整个诊疗过程的直接参与者，双方对争议问题最了解，协商解决过程中不需要支付诉讼费、鉴定费、律师费等各种类型的额外费用，双方一旦协商成功达成协议，由于是双方“心甘情愿”的约定，赔偿责任一方会及时实际履行协议。但是，对于病情复杂、双方争议问题较多的医疗纠纷，如果双方协议一定时间后还是无法减少分歧获得一定的共识，那么双方可以选择医疗纠纷人民调解方式解决。在医疗纠纷人民调解委员会主持调解过程中，专业的临床医学专家、法医等专业权威人士将参与调解，围绕医患双方的主要争议问题进行解释、说明、评定，这种方式可以弥补患方在医学专业知识方面的不足，让患方在调解过程中将其对医方诊疗过程存有的异议“搞清楚弄明白”，在相关专业人士的帮助下，患方将能对诊疗行为有更加客观、完整的认识，调解成功的概率大大增加。而且医疗纠纷人民调解中患方也不需要支付诉讼费、鉴定费、律师费等额外费用，可以说医疗纠纷人民调解是一种既省时又省力还省钱的医疗纠纷解决方式。法院诉讼有比较严格的程序，优点就是有利于查清事实，裁判结果具有终局性，一方不履行判决义务时，另一方可以直接申请强制执行，但是由于涉及医疗过错鉴定等复杂程序，医疗纠纷案件的诉讼周期普遍较长，而且当事人需要支付高额的诉讼费、鉴定费、律师费等各种额外费用。

普法提示

通过正常就医渠道就医，即使通过“找熟人”方式就医也要正式挂号就诊，这样可以让医生书写病历，确保每次就诊都有相应的病历记录，“白纸黑字”最为稳当。如果只是通过“找熟人”方式口头问询医生、医生口头答复，将来一旦发生纠纷，相关事实很难证明。

不要轻易相信各种夸大医疗效果的广告宣传。普通人不具备专业医学知识，在遇到重大疾病时经常焦虑不安甚至不知所措，但是越是在这种时候，越发要保持理性和冷静，在选择就诊医院、治疗方案、药品等方面切不可轻信一些随意承诺治疗效果的医疗广告。医学作为自然科学在不断地发展完善过程中，在面对重大疾病时有其局限性，作为患者及其亲属的普通人需要知道的一个常识就是医生不能包治百病，只有对疾病具备理性认识，对医疗效果持有理性期待，才不会耽误患者的救治，也不会沦为虚假广告欺骗的对象。

就医过程中主动多与主治医生沟通，及时了解患者病情，在签署各类“知情同意书”时如果有不明白具体含义的地方，务必及时询问医生，让医生给予解释说明，这样可以做到“明明白白”就医，也可以让患者及其亲属更加理性地面对一些不可避免的医疗风险，对医疗效果产生符合科学规律的理性期待。

及时保存各种证据。一类证据是能够反映就诊事实的病历材料，包括医生在诊疗过程中形成的文字、符号、图表、影像、切片等资料的总和，包括门（急）诊病历和住院病历，总之就是一切与就医有关的资料。由于我国“人死为大”“入土为安”等传统民间价值观念的影响，患者亲属在患者死亡后，即使对患者死亡原因持有异议，也放弃对患者进行尸检以查明患者确切的病理死因。由于尸检对尸体保存时间要求较高，故患者亲属如果对死亡原因有重大异议，一定要在患者死亡后第一时间内与医院联系确定尸检事项。患者亲属明确放弃尸检导致病理死亡原因无法查清，如果发生相关医疗纠纷，患者亲属因为缺乏有效证据将难以推翻医院对患者的临床死亡原因诊断。另一类就是能够证明医疗费等各类费用支出、损失的证据，患方应当尽量妥善保留所有支出费用的票据，票据形式最好是国家正式发票、医院制式医疗费收据，发生医疗纠纷后如果主张相关损失赔偿，但是无法提供相关支出票据等证据，赔偿主张因为缺乏证据将难以获得法院支持。

发生医疗纠纷后选择合法途径主张权利。随着社会经济的发展，人们的权利意识逐渐增强，在就医过程中发生纠纷的概率越来越大，但是在发生医疗纠纷后，由于患者及其亲属不能理性地选择维权途径，导致医患矛盾加剧，最终不利于患者及其亲属的权利维护，也不利于整体医疗环境的改善。患者及其亲属采取非理性甚至非法途径主张权利，其后果就是不仅权利得不到实现，还有可能构成治安违法甚至犯罪，“有理变没理”。按照上述介绍，除了双方自行协商外，国家法律还规定了非常有效的医疗纠纷解决途径，即医疗纠纷人民调解和法院民事诉讼，这两种途径门槛均不高，结果客观公正，患者及其亲属通过选择这两种途径不但可以把医疗纠纷中相关事实弄得“明明白白”，还可以及时获得法律规定的应得的赔偿结果。

第四章

财产保护

案例一

高利贷风险

——解析《关于审理民间借贷案件适用法律若干问题的规定》第二十六条

曹源清①

高利贷古而有之，借款人在资金紧张急需用钱而又无法通过普通渠道筹措时，往往会把注意力转向高利贷。在我国古代农村，地主大户趁天灾人祸后向食不果腹的灾民发放高利贷，无法偿还就借机兼并土地，逼迫饥民卖身为奴。虽然高利贷最初就是打着“欠债还钱，天经地义”的幌子，但实际上难以掩饰其蚕食盘剥社会弱势群体的罪恶色彩。

随着市场经济深入社会生活的方方面面，国家鼓励民间借贷来促进金融资源配置，提振经济活力，法律保障民间借贷的交易安全和交易自由，也不轻易地介入和干预民间借贷法律行为的效力，自愿理性协商达成的高息借贷行为本身不会具有严重的社会危害性，然而不少的民间放贷只是幌子，放贷者明知并期望借款到期无法偿还，实际目的在于套取侵占借款者房产车辆等大额财产或对借款人实施控制，并经常附带诱发暴力催收和虚假诉讼等一系列违法犯罪行为。

高利贷混杂在民间借贷的发展中没有销声匿迹，反而更加普遍，其始终处于灰色暧昧的法律地带，开始逐渐成为名副其实的“套路贷”，环环相扣的套路透露出“高利贷”债主的精明算计。现在的高利贷债主往

---

① 北京市西城区人民法院民三庭法官助理。

往会利用在法律知识上的优势，在“年利率24%”上做足文章来迷惑借款人；同时在催收上也不再像过去那样一味地采取简单暴力手段，他们熟悉诉讼程序，找准借款人的“法律软肋”，制造虚假诉讼实现自己的非法目的。

案情回顾

近两年楼市房价暴涨，大半年内，某楼盘价格从每平方米7000元上涨到25000元，此时杨某从农村老家来到一个房产中介机构做销售工作，由于行业形势火热，工资加提成半年赚了二十多万元。对于刚来城市打工而且没有多少知识技能的杨某，这份收入本来颇为丰厚，但是看着房价上涨像火箭升天，连旁边理发店的师傅都闭门歇业去“炒房”赚钱了，杨某心痒难耐也跃跃欲试。于是他通过中间人周某介绍找到放高利贷的黄某，借了100万元用于炒房，约定借期为当年1月1日到12月31日，共计12个月，利率为月息百分之三，每季度末偿还9万元。

杨某用这钱再凑上自己多年的积蓄买了房，本打算等一年后房价涨到四五万再出手赚差价，不料房地产市场却骤然降温，在短短6个月内房价迅速回跌到20000元，同时杨某的中介收入也开始锐减。这样一来，杨某仅按照约定于3月末向黄某偿还了9万元利息，后来由于偿还能力减弱，杨某9月末只向黄某偿还了6万元利息，12月末只向黄某还了3万元利息，共计27万元。借款到期后，黄某向杨某催促偿还本金100万元，杨某不得不卖掉房子偿还借款，但是仍欠50万元，黄某把杨某诉至法院，要求杨某偿还借款本金50万元并支付剩余利息。

黄某向杨某借款算不算是高利贷？法律法规对于民间借贷利息具体怎么调整的？本案中杨某的诉讼请求，法院能否予以支持？

法理分析

高利贷是指利息特别高的贷款。那么究竟利息高到何种程度才可以算作高利贷呢？我国历史上许多朝代也有制定利息不得超过月息三分的记载，查看现行正式的法律条文，并没有明确规定高利贷的标准，只是在行政机关部门的规范性文件中有所涉及。2015 年最高人民法院《关于审理民间借贷案件适用法律若干问题的规定》对于利率标准的司法保护上限作了细致可操作的规定。其中第二十六条规定如下："借贷双方约定的利率未超过年利率 24%，出借人请求借款人按照约定的利率支付利息的，人民法院应予支持。借贷双方约定的利率超过年利率 36%，超过部分的利息约定无效。借款人请求出借人返还已支付的超过年利率 36% 部分的利息的，人民法院应予支持。"

高利贷生长于民间，不断调整的国家金融政策和治理理念导致了央行和司法机关对高利贷的认定标准在不同的历史时期一直在上下浮动。对于超出国家规定标准的民间借贷，所采取限制手段的严厉程度也有所变化。通俗来讲，法律对于年利率 24% 到年利率 36% 的部分不予干涉，仍然可以容忍，对于高于年利率 36% 的利息部分则持否定态度。

结合本案，我们详细介绍对于民间借贷利率，司法予以保护的三个层次：1. 年利率 24% 以下的民间借贷利率可申请强制执行；2. 年利率 24% 至 36% 的民间借贷利率拥有债权保持力但没有执行力；3. 超过年利率 36% 的部分应当认定为无效。

本案中，双方约定月利率为 3%，已经超过了我国对民间借贷利率规定的保护上限，即年利率 24%（月利率 2%）。如果杨某未按照年利率 24% 足额支付利息（即每季度应偿还 60000 元的利息），黄某仅就年利率 24% 以内利息（即 60000 元以下的部分）可向法院起诉并主张权利，胜诉后还可以申请强制执行；黄某就超出的年利率 24% 的利息部分向法院起诉的，法院则不会支持，债务人杨某当然可以拒绝支付，但是杨某已经给付的利息数额超过年利率 24% 且低于年利率 36% 的部分（即超出 60000 元低于 90000 元的利息部分），黄某可以继续享有，保持受领，法院也不会认定为黄某不当得利；至于杨某已经给付黄某的利息数额超过年利率 36% 的部分（即超出每季度 90000 元的），法院经审理发现可以将该部分利息折抵借款本金，或者杨某有权另行向法院主张黄某予以返还。

在本案中债务人杨某共计偿还过 4 笔款项，其中第一季度和第二季度，债务人杨某按照约定年利率 36% 各偿还利息 9 万元，不属于超过年利率 36% 的部分，债权人黄某可以保有该部分的款项，杨某无权请求法院判令黄某予以返还；第三季度债务人杨某仅支付了 6 万元，离双方约定的利息 9 万元，还差 3 万元没有支付，这 3 万元差额属于年利率 24% 至 36% 的部分，债权人黄某无权再主张债务人杨某继续支付；第四季度，债务人杨某仅支付债权人黄某 3 万元，双方约定利率高于司法保护利率 24% 的上限，黄某能且仅能按照年利率 24% 要求杨某支付利息，杨某距离年利率 24% 的利息仍没有支付的 3 万元利息差额，债权人黄某有权继续要求债务人杨某予以偿还。

综上所述，截至 12 月 31 日，法院很可能作出判令要求杨某向黄某偿还借款 50 万元，支付借期利息 3 万元。这样，杨某须最终实际承担的借款利率将为年利率 30%。

知识拓展

通过上述案例，我们可以清晰地了解该条司法解释在审理民间借贷案件中的具体适用。但是该案例主要是为了方便大家了解法条适用而进行了简化。假如真的把现实生活中高利贷债主想得如此“善良”，觉得所谓高利贷不过也就是“那么回儿事”，这就是我们善良群众过于单纯了。现实中，高利贷债主会要弄各种套路手段，在利息上“做手脚”，勾引借款人上当受骗。而且越来越多的高利贷债主选择通过法院提起虚假民事诉讼的方式来索要欠款，试图获得国家对其债权的合法性认定，并以此赋予强制执行的效力。以下我们就结合曾经发生过的案例故事来分别介绍高利贷的其他几种常见套路，为了简便起见，在之前案例故事的基础上改变条件予以说明。

（一）高利贷债主利用借款人欠缺证据保全意识，通过现金还款和借条重签的手段谋取非法高额利息

第一个案例故事的其他情节不变，现在杨某仅现金支付了第一季度的利息 9 万元，第二季度和第三季度的利息没有能力支付，于是黄某在第三季度末找到杨某催还借款，施加压力要求将本金 100 万元和未支付的两个季度利息 18 万元一并计入本金，四舍五入后重新签订一张本金为 120 万元的借条，借期半年，年利率 36%，按月付息 36000 元，并当面销毁了之前 100 万元的借条。杨某于 10 月和 11 月分别各偿还 36000 元，以现金的方式交付。但因为疏忽大意，一份没有要求黄某出具收条，又遗失了另一份的收条；杨某仅保存了黄某对于 12 月偿还利息 36000 元和本金 100 万元出具的收条，上述过程没有进行拍照录音录像且没有他人在场。后黄某起诉要求杨某偿还利息 72000 元，在诉讼中黄某拒不承认杨某的 10 月和 11 月现金付息和更换借条收取复利的事实。

本案中黄某重签借条计收复利，按照规定这种高于年利率 24% 的“驴打滚，利滚利”是肯定不受法律保护的，黄某贪得无厌，不承认自己计收复利和收取的现金利息的事实，杨某和其争执不下，这样案件的事实

就走向扑朔迷离。断案法官不可能让时间倒流，重新回到现场查看事实真相，而只能通过现有的证据来还原“法律事实”，假如杨某不能提交更换之前的借条、还款收条等相关证据证明自己的还款过程，法官对杨某的陈述就难以确信。根据“谁主张，谁举证”的法律规定，杨某很大可能需要承担举证不能的证明责任，即败诉的风险，由于10月和11月没有证据证明已经偿还过利息，杨某要以120万元为基数承担月利率2%的利息48000元，那么杨某实际承担的借款利息的利率就会高于36%。假如黄某和杨某所有的款项交付都是走的银行转账，杨某依据证据不仅可以抗辩自己已经清偿了全部的债务，还可以要求黄某返还自己偿还的利息高于以100万元为基数，月利率3%以上的部分。

（二）借款利息预先在借款本金中扣除

第一个案例故事的其他情节不变，1月1日黄某将第一季度的利息预先扣除，实际给杨某91万元，借条上仍然按照100万本金记载，这就是民间俗称的“砍头息”。此类行为意在变相提高实际借贷的利率，规避年利率24%的上限，对此我国法律和司法解释是明令禁止的。因此，本案中杨某应当返还的借款数额并非借条记载的100万元，而是实际交付的91万元，且也应当按照实际收到的借款数额91万元为基数计算利息。假如高利贷债主直接向法院起诉，声称100万元中91万元是转账交付，还有9万元是现金交付的，一般不会被法院采信。黄某为了制造交付100万元借款的假象，先转账汇给杨某100万元，再利用放款时债权人的优势地位，在其放款时就指派周某跟着杨某去银行ATM机取走9万元，当杨某在诉讼过程中没有证据推翻自己配合黄某制造的“案件事实”假象时，就要为这9万元“买单”。那么截至12月31日，黄某实际的借款利率就成了年利率33%。

（三）利用双重法律关系，规避利率限制

仍然是第一个案例故事的其他情节不变，杨某通过中间人周某介绍找到放高利贷的黄某，周某和杨某实际上是一个团伙，黄某和杨某约定利率为年利率 24%，每季度末偿还 6 万元。此外，中间人周某要求和杨某签订一个居间合同，在借期内每月收取 6 万元的居间服务费。这样一来，看似利息符合法律保护“年利率 24%”的规定，但是杨某因借款产生的实际费用却能高达年利率 48%。杨某又急需用款就忍气吞声地接受了，而且分不清这居间服务费和借款利息性质的不同之处。每季度末还款的时候，周某先向杨某要钱，但杨某不明所以地就给了，后来杨某的资金紧张就拖欠了黄某的几期利息，后黄某起诉要求偿还剩余利息。经法院审理，杨某主张加上自己给周某的钱后，已经远超过年利率 24% 了，而这种抗辩在法律上却是无法成立的，对于高昂的居间服务费，杨某不能混在民间借贷诉讼中一并处理，法院很有可能判令杨某就年利率 24% 没有足额偿还的利息部分继续清偿。杨某本不应该和周某签如此高额的居间服务合同，即便是签了也不应将黄某和周某混在一起还钱。遇到这种情况，杨某应该将法律保护黄某年利率 24% 的利息先还请，再通过诉讼解决与周某的高额居间服务费问题，本文中就不再赘述。

（四）混淆名义利率和实际利率

故事背景相同，现在黄某声称借款利率仅为年利率 24%，每季度末仅需偿还 6 万元利息，但在借款合同约定的是等额本息的偿还方式，即每季度末还需要偿还本金 25 万元。杨某只看“24%”这个形式，就误认为该利息在法律保护的范围之内。而事实上，本案中年利率 24% 的利息指的是实际占用借款 100 万元满一年应支付的利息金额。黄某则利用名义利率误导

欺骗杨某，杨某中了圈套还完全不知道自己上当受骗了。经计算本案中实际年利率高至38.4%。

（五）高额违约金和让与担保

在基础案例之上改变以下条件，双方约定的年利率仍然为24%，每季度末按期偿还6万元，但是没有足额按期偿还，按照日千分之三的利率收取违约金，并且要求杨某以房产为担保，假如发生违约，当利息、违约金和所欠本金的数额达到130万元时，以此为对价就将房屋出卖给杨某，杨某免除杨某债务。现杨某第二季度没有到期付息，则欠利息6万元，此后按照约定一天的违约金就是3000元，利息约为657元，那么持续65天左右，杨某就会“依约”逼迫杨某将房屋卖给自己。实际上包括违约金和利息在内的借款产生的实际费用整体超过年利率24%后，法律就不再保护，而且此情况下的以房抵债也明显是为了侵吞杨某房屋所设圈套，并不符合法律规定。遇到这种情况，建议到法院诉讼解决，以保护债务人的合法财产不被侵吞。

普法提示

农村进城务工人员常因为盲目攀比、过度消费、沉迷赌博，举债炒股、炒楼而被高利贷缠身。农村经济条件差的家庭在面临子女上学、重大疾病治疗和婚丧嫁娶、农业资料购买等的高额开销时也容易被高利放贷的个人或机构“下钩设套”，据调查发现，目前大约只有1/5的农户从正规的农村金融机构获得贷款。高利贷债频发的原因，一方面是因为官方金融融资渠道不畅通，另一方面是因为农村居民自身对国家正规信贷政策和办理手续不甚了解。

对于最终选择民间借贷的村民，借款人一定要重视借款过程中的证据搜集和保全，不要因为磨不开情面而不索要收条，重签借条的，对于原借条最好也保留或拍照复印，当然最好还是通过银行或者支付宝转账的形式偿还借款，只有这样借款和还款之间才能变得有规律可循，有依据可查，借款人的利益才能更好地得到法律的保护。尤其需要重视的是，借款人的银行转账凭证是最有力的证据，否则那些借期久，付息次数多的，难免会出现忘记索要收条、遗失收条等情形，这些都将会成为以后诉讼中存在的隐患。所以广大群众不能仅仅指望着法官能“明察秋毫”，同时也要负担起保护自己的“第一责任”。

总之，广大村民群众要谨防高利贷的危害，了解高利贷的套路陷阱，做好民间借贷中的证据保全留存，不幸被高利贷缠身时，积极选择通过诉讼的途径解决自身债务问题，用法律武器维护人身财产的合法权利不受非法侵害。

案例二

网络非法集资

——如何辨别委托理财与非法吸收公众存款行为

赵亚坤[1]

案情回顾

王叔是河北省某市的农民，近些年经常看到宣传中国高铁全球领先的新闻，也通过新闻报道知道了全国各地正在热火朝天地修建高铁，他常为中国高铁感到骄傲。两年前，他咬咬牙，与一家投资公司签订委托理财协议，拿出五万元委托给该公司投资。王叔拿出五万元交给该公司投资是有原因的：一是王叔认识的很多人都和这家投资公司签了委托理财协议，往里放了不少钱，他相信这么多人的判断是不会错的；二是王叔自己辛苦挣的钱放家里会贬值，王叔需要一个让自己财产保值最好增值的途径，而这家投资公司与他签订的协议约定的投资期限为一年，每一季度收益为本金的5%，年收益率为本金的20%，并且还承诺保本付息，若投资收益不足，则不足部分该公司给补齐；三是王叔也相信自己的判断，他认为这家投资公司所投项目是“高铁项目”，为高铁建设提供建设用的石料、混凝土，国家这么支持高铁建设，这样的项目不可能会赔本的。

① 北京市西城区人民法院民四庭法官助理。

一段时间过去，王叔还是在邻居的口中才知道该投资公司跑路的消息。王叔拨打该投资公司的电话，却再也打不通了。王叔去了这家投资公司的办公地址，只发现人去楼空。王叔一下子慌了，辛辛苦苦挣的血汗钱就如打了水漂一样，手中的委托理财协议如废纸一般。

直到一年后公安机关终于抓捕到了这家投资公司的主要负责人吴良。原来吴良负责的这家投资公司并没有投资其向王叔宣称的“高铁项目”，因为根本就不存在这个项目。吴良等人将这些钱投向了其看好的股市，并且进行了不少奢侈品消费，而最后由于其所看好的股票价格大跌，赔得血本无归，不得已跑路了。

公安机关将此案移送检察院提起公诉，法院经审理认为，被告吴良等人违反国家金融管理制度，未经金融管理部门批准，以投资经营为名，采取向社会公众吸收资金，承诺高额回报的手段，变相吸收公众存款，数额巨大，严重扰乱了金融秩序和社会稳定，其行为均已构成非法吸收公众存款罪。最终判处吴良有期徒刑五年，并处罚金十五万元，同时继续追缴吴良给存款人造成的经济损失的未退赔部分。吴良等人均未提起上诉。

法理分析

随着我国经济发展，农村家庭收入增加，农民手中的余钱也渐渐多了起来。经济快速发展的社会中，每个人包括农民，可能都会面临手中现金如何保值增值的问题，因为现金放着不动基本上意味着它在贬值。然而很多人并没有解决这一问题的办法或能力。让钱生钱，更多的是经商者考虑的问题。委托有相关知识和能力的专业人士帮助我们投资，替代我们理财，是解决我们普通人财产保值增值的一种方法。委托理财最早出现在城市，其主要市场也是在城市。而随着农村经济的发展，委托理财在农村也逐渐增多起来。这里我们先简单介绍一下有关委托理财的法律知识，然后再介绍前面提及的案例中非法吸收公众存款罪的相关法律知识，最后讲讲两者之间的辨别要点，以使我们远离非法吸收公众存款行为，更为理性地进行委托理财。

（一）委托理财概述

所谓委托理财，是指委托人和受托人约定，委托人将其资金、证券等金融性资产委托给受托人，由受托人在一定期限内管理、投资于证券、期货等金融市场，并按期支付给委托人一定比例收益的资产管理活动。[①]这里的委托人指的就是将金融性资产委托给受托人的人，可以是公司、单位等，也可是公民。而受托人就是接受委托人的委托，对委托人托给的金融性资产进行管理、投资于证券、期货等金融市场的人。受托人可以是金融机构，也可以是非金融机构。根据受托主体特征的不同，委托理财可以分为金融机构委托理财和非金融机构委托理财。金融机构委托理财，又称金融委托理财，它是指客户将资产交给金融机构，由金融机构作为受托人的委托理财形式。在我国，从事委托理财业务的金融机构主要有商业银行、证券公司、信托公司、保险公司和基金公司等五类。非金融机构委托理财，又称民间委托理财，是指客户将资产交给资产管理公司、投资咨询公司、一般企事业单位等非金融机构或自然人，由这些非金融机构作为受托人的委托理财形式。在前面的案例中，王叔进行的便是非金融机构委托理财，他将五万元交给的投资公司不属于金融机构。

委托理财协议，或叫委托理财合同，是委托理财中的委托人和受托

---

① 高民尚：《审理证券、期货、国债市场中委托理财案件的若干法律问题》，载《人民司法》2006 年第 6 期，第 27 页。

人就委托理财相关权利义务内容进行的约定，它具有自己的特点。一是委托理财合同是有偿合同，也就是说受托人接受委托人进行委托理财不是无偿的、免费的，而是有偿的，双方可以约定对所得收益由双方按比例进行分配，也可以约定由受托人收取代理费。二是委托理财合同是要式合同、实践合同，也就是说，委托理财合同必须订立书面的合同才能生效，不能仅仅口头约定，委托人也需要将资金、证券等金融性资产给受托人，合同才能生效。三是委托理财合同中的保底条款无效，也就是说委托理财合同中约定受托人保证委托人的资产在委托理财中不会亏损，那么该约定是无效的，因为委托理财实质是一种委托投资行为，而投资的本质特征必然存在一定风险，作为实际的投资者，如因保底条款而不承担风险，则与投资的本质相悖。当事人的保底约定规避和转嫁了理财风险，违背了基本经济规律、公平交易及合同法基本的公平原则，权利义务明显失衡，因此，这样的约定无效。当然，人们对委托理财合同的认知是不断变化的，保底条款在民间委托理财合同中是否无效，仍有一定的讨论空间。

（二）非法吸收公众存款行为

非法吸收公众存款，情节严重的，构成我国《刑法》第一百七十六条规定的非法吸收公众存款罪。该条规定，非法吸收公众存款或者变相吸收公众存款，扰乱金融秩序的，处三年以下有期徒刑或者拘役，并处或者单处二万元以上二十万元以下罚金；数额巨大或者有其他严重情节的，处三年以上十年以下有期徒刑，并处五万元以上五十万元以下罚金。单位犯前款罪的，对单位判处罚金，并对其直接负责的主管人员和其他直接责任人员，依照前款的规定处罚。“非法吸收公众存款”，是指行为人违反国家法律、法规的规定在社会上以存款的形式公开吸收公众资金的行为。主要是指行为人不具有吸收存款的主体资格而吸收公众存款破坏金融秩序。“变相吸收公众存款”，则是指行为人不以存款的名义而是通过其他形式吸收公众资金，从而达到吸收公众存款的目的的行为。例如，有些单位和个人，未经批准成立各种基金会吸收公众的资金，或者以投资、集资入股等名义吸收公众资金，但并不按正常投资的形式分配利润、股息，而是以一定的利息进行支付的行为。变相吸收公众存款规避国家对吸收公众存款的监督管理，其危害和犯罪的性质与非法吸收公众存款是相同的，都破坏了国家的金融秩序。

《最高人民法院关于审理非法集资刑事案件具体应用法律若干问题的解释》第一条规定，违反国家金融管理法律规定，向社会公众（包括单位和个人）吸收资金的行为，同时具备下列四个条件的，除刑法另有规定的以外，应当认定为《刑法》第一百七十六条规定的“非法吸收公众存款或者变相吸收公众存款”：（一）未经有关部门依法批准或者借用合法经营的形式吸收资金；（二）通过媒体、推介会、传单、手机短信等途径向社会公开宣传；（三）承诺在一定期限内以货币、实物、股权等方式还本付息或者给付回报；（四）向社会公众即社会不特定对象吸收资金。未向社会公开宣传，在亲友或者单位内部针对特定对象吸收资金的，不属于非法吸收或者变相吸收公众存款。这条是最高人民法院对非法吸收公众存款罪的司法解释，明确了认定非法吸收公众存款罪的条件。同时满足这四个条件的非法吸收或变相吸收公众存款的行为，认定构成非法吸收公众存款罪。

（三）辨别要点

根据上面介绍的委托理财和非法吸收公众存款行为的含义与特征，我们可以看出委托理财与非法吸收公众存款行为有着较为本质的区别，前者是一种合法的民事经营行为，而后者是触犯刑法的犯罪行为。然而，委托理财却又有可能触犯刑法构成非法吸收公众存款罪。界定委托理财行为是否为非法吸收公众存款罪，主要参考两方面因素。

一是受托人是否承诺到期返还本金和固定的利息。受托人在取得委托人投资的资金后，以自己的名义对外投资，委托人在受托人向其作出上述承诺后并不关心受托人如何使用其投入资产，委托人投入资产的风险完全由受托人承担。因此，委托人既不参与证券、期货经营活动，也不承担活动的风险后果，仅享有在一定期限内收回交与受托人的本金及利息的行为，使名为委托理财的关系转化为实质上的借贷关系。

二是委托人交与受托人的资金是否独立管理。《关于规范证券公司受托投资管理业务的通知》中要求证券公司对受托投资资产和其自有资产及不同委托人的资产相互独立管理和经营，严格区分自营资金与资产管理资金的使用。这说明，资产管理应该是以委托人名义进行的投资行为，如果以资产管理为名吸收资金后，受托人统一安排使用，其行为性质就发生了变化。

在前述案例中，吴良以给予固定回报的承诺为前提，通过与委托人王叔等多人签订委托理财合同的方式吸引委托人投入资产，再以自己的名义将该资产投入自己的股票账户进行投资，实现自己收益最大化。这种作出保本付息承诺的委托理财行为，不是法律规定的资产管理业务，而是以所谓的委托理财名义向社会不特定人员借用资金，属于变相吸收公众存款的行为。同时吴良等人在变相吸收公众存款之后并未用王叔等委托人的名义进行投资，而是以其本人的名义进行投资，对委托人的资产进行了实质性的支配，并未体现委托人的意愿，因此法院认定其构成非法吸收公众存款罪。

知识拓展

委托理财与非法吸收公众存款行为在法律上存在联系与区别，在现实生活中千变万化。因此当我们选择委托理财时，应谨慎投资理财，防范自己委托理财陷入他人非法吸收公众存款的陷阱之中。为此，我们应当在以下几个方面多加注意：

第一，投资有风险，遇到具有保底条款的委托理财协议要小心。从委托理财的功能面来看，委托理财之实质，是我们现代人对于授权他人管理财产的需求日益殷切。因为现今的金融市场上投资日益复杂，作为普通的一般投资者，往往不具有理财所需要的个人时间与专业管理能力。我们对理财的理解倾向于所理之财稳赚不赔——要不我们干吗还委托他人理财呢。因此，不法分子看准这一心理，承诺由其代为理财保本付息，吸收大量公众存款。如前所述，委托理财实质是一种委托投资行为，而投资的本质特征必然存在一定风险，作为实际的投资者，并没有真正的能力保证自己的投资稳赚不赔。当遇到"稳赚不赔"或"保本付息"的委托理财时，一定要当心可能会落入非法吸收公众存款的陷阱之中。

另外，我们也要注意，保底条款的委托理财协议在民事案件审理中，可能会被认定为无效的合同。主要原因有以下两点：第一，保底条款违反市场基本规律。保底条款在经济层面上具有极强的信用投机色彩。在高风险的证券、期货等金融市场中，投资风险无法避免，绝对的只盈不亏的情形不可能存在，也不可能存在恒高的收益率。将投资风险完全分配给受托人，严重违背市场经济基本规律和资本市场规则。第二，保底条款违背民法之公平原则。保底条款使得委托理财合同中委托人与受托人之间在合同中围绕保底条款所配置的民事权利义务严重不对等，将投资风险完全分配给受托人，致使保底条款从根本上大多难以实际履行。承诺给付最后无法兑现的高收益率之保底条款，通常成为受托人获取资金和交易报酬的一种非法手段，并染上非法集资色彩。

第二，收益越高，风险越大，警惕收益率过高的委托理财。收益与风险成正比，收益越高，那么要面临的风险必然越大。在面对宣称具有很高收益的委托理财时，一定要保持警醒，不能盲目冲动，同时也要拒绝跟风，理性理财。不能看到身旁的人都去选择高收益的委托理财就盲从，因为很可能很多人都被忽悠了。承诺无风险而有高收益，这很有可能是为了实现非法集资的目的。

第三，全面收集信息，认真对待委托理财。在将资金交给受托人之前，一定要认真核实受托人相关信息，保存好相关材料，评估可能面临的风险。一般来讲，金融机构委托理财的可信性较高，但也要注意金融机构工作人员假借金融机构名义而诱导签订其他委托理财协议，因为现实生活中这样的例子并不少见。而非金融机构委托理财，即民间委托理财则更应引起我们注意，因为这种非金融机构的公司或个人信用度相比金融机构要低，应对风险能力更弱。现实中触犯刑法而构成非法吸收公众存款罪的也多是它们。

总之，我们在委托理财时一定要谨慎、理性，注意规避较为符合非法吸收公众存款行为特征的委托理财，降低上当受骗的可能性。

普法提示

在这里再明确一下委托理财和非法吸收公众存款的概念。委托理财，是指委托人和受托人约定，委托人将其资金、证券等金融性资产委托给受托人，由受托人在一定期限内管理、投资于证券、期货等金融市场，并按期支付给委托人一定比例收益的资产管理活动。非法吸收公众存款是一个刑法中的概念，根据《刑法》的规定，非法吸收公众存款罪包括非法吸收公众存款或者变相吸收公众存款，“非法吸收公众存款”，是指行为人违反国家法律、法规的规定在社会上以存款的形式公开吸收公众资金的行为。主要是指行为人不具有吸收存款的主体资格而吸收公众存款破坏金融秩序。“变相吸收公众存款”，则是指行为人不以存款的名义而是通过其他形式吸收公众资金，从而达到吸收公众存款的目的的行为。

界定委托理财行为是否为非法吸收公众存款罪，主要参考两方面因素。一是受托人是否承诺到期返还本金和固定的利息。委托理财当中，受托人不会承诺保本付息，因为该承诺违反市场规律，也不符合公平原则，保本付息的条款在委托理财合同中无效。承诺保本付息，使名为委托理财的关系转化为实质上的借贷关系。二是委托人交与受托人的资金是否独立管理。资产管理应该是以委托人名义进行的投资行为，如果以资产管理为名吸收资金后，受托人统一安排使用，则性质发生变化。

在选择委托理财时，我们应当在以下几个方面多加注意：一是要认识到投资有风险，遇到具有保底条款的委托理财协议要小心。二是要认识到收益越高，风险越大，警惕收益率过高的委托理财。三是要尽可能全面地收集信息，认真对待委托理财，在风险与收益之间做出理性权衡。而当自己的合法权益受到侵犯时，可以咨询相关专业人士，并要积极配合公安机关和法院，以最大可能地维护自己的权益。

案例三

借款合同

——解析欠缺借条时的举证责任

陈访雄[①]

案情回顾

汪伦与李白同为世代居住于汤口村的村民，两人从小就是好友，关系亲密。李白于4月30日向汪伦借款80万元，汪伦于当日汇款80万元给李白。其后汪伦多次催还借款，李白仍不归还，无奈之下汪伦向法院起诉要求李白偿还借款及利息。

李白认可收到了该笔汇款，但认为该笔汇款系合作投资款，并非借款。李白称其与汪伦于5月27日签订了一份《关于共同投资汤口村农场的协议》（以下简称《投资协议》），该协议约定：李白、汪伦各出资80万元作为注册资金。汪伦在本案诉求中所主张的80万元借款，实际是依据上述协议所付的投资款，而非借款。庭审中，李白提供了上述协议。

经法院审理，查明了以下主要的事实：汪伦与李白系朋友关系。汪伦称李白向其借款，其于4月30日，通过农村信用社向李白转账80万元，被告李白认可收到该笔转账。但李白认为该笔转帐系合作投资款，并非借

① 北京市西城区人民法院民三庭法官。

款。庭审中，李白出具了5月27日双方签订的一份《关于共同投资汤口村农场的协议》，该协议约定：李白、汪伦各出资80万元共同投资开发该农场，该160万元专款专用，需增加费用由李白、汪伦按比例增加投资。

另查明，汪伦于2012年5月30日向李白再次汇款80万元。庭审中，汪伦称上述款项是在双方签订上述投资协议后，其依约给付李白的投资款。而李白辩称该款是汪伦依据上述协议所追加的投资款。庭审中，李白称双方除本案外，无其他债权债务关系。

最终法院判决李白偿还汪伦借款本金80万元及相应利息。

法理分析

（一）如何认定借贷关系成立，依据法规

类似于上述案件的情况，在日常生活中经常发生。自然人之间的民间借贷往往不订立书面合同，也不出具借条、收据等债权债务关系凭证，只有金融机构的转账凭证作为证据。在此情况下，能否认定双方之间借贷关系成立，也即如何判断该款项性质是否为借款。该问题的实质，其实是在欠缺借款合同、借条等借贷关系证明时，举证责任该如何分配的问题，即由谁来证明双方之间构成借贷法律关系。在民事诉讼中，举证责任是指应当由当事人对其主张的事实提供证据并予以证明，若诉讼终结时根据全案证据仍不能判明当事人主张的事实真伪，则由该当事人承担不利的诉讼后果。[①]依据法律规定，主张法律关系存在的当事人，应当对产生该法律关系的基本事实承担举证证明责任，但法律另有规定的除外。

① 张水泉：《民事诉讼证据原理研究》，厦门大学出版社2005年版，第160页。

依据上述的规定，具体到民间借贷的案件中，应该由出借人对存在借贷关系及借贷内容等事实承担举证责任。如此说来，是否意味着在被告不认可双方借贷关系的情况下，原告又不能提供借款合同、借据等表明双方之间存在借贷关系的书面证据时，原告是否就必然应承担举证不能的不利后果呢？

2015 年 8 月 6 日颁布的《最高人民法院关于审理民间借贷案件适用法律若干问题的规定》（以下简称《规定》）第十七条对此给出了答案。该条款规定，原告仅依据金融机构的转账凭证提起民间借贷诉讼，被告抗辩转账系偿还双方之前的借款或其他债务，被告应当对其主张提供证据证明。被告提供相应证据证明其主张后，原告仍应就借贷关系的成立承担举证证明责任。其实关于此问题，之前的司法解释曾经作出过不同的规定，原司法解释规定，原告基于借贷关系主张返还借款的，应当对借贷合意的成立和款项交付的事实承担举证责任。原告仅提供转账、存款凭证等交付凭证，未提供借贷合意成立的证据，被告以双方不存在民间借贷关系或者存在其他法律关系为由抗辩的，人民法院应当要求原告就双方存在借贷合意进一步提供证据。原告不能提供证据的，应当驳回其诉讼请求。也就是说，将双方之间存在借款合同关系的举证责任，完全彻底地分配给了出借人。

（二）法律规定变化，道理何在？

为何法律规定出现了如此重大的变化呢？实践中，发生借款的情形比较复杂，在双方当事人之间存在其他交易关系的情况下，存在原告凭借其他交易中支付款项的转账凭证，试图要求被告归还并不真实存在的借款的可能，因而不能仅凭借其他款项支付凭证就认定双方之间存在借贷关系，这是符合借款合同关系成立以双方当事人之间存在借贷合意的基本特点的。但是，在现实生活中，由于民间借贷行为多发生在亲属、同学、同乡和朋友等关系亲密的自然人之间，故其表现形式多呈现出简易性或随意性，不签订书面借款合同、借据、收条或欠条的形式较为常见。同时考虑到一些借款当事人确实存在缺乏法律意识，没有签订书面借款合同亦没有出具借据的情况下，出借人对于借款关系的证明存在一定困难。如果按照此前司法解释所规定的举证责任的分配办法，对于很多缺乏法律意识的出借人来说，举证难度很大，对出借人的实体权利保护不利。故而现在的司法解释对此作出了重新的规定，该规定其实是对前述举证责任的原则性分配规定作出了例外性的规定，该规定考虑到了现实中的具体情况，较之以前规定更加合理。

（三）如何理解法律规定，详细解析

如何深入理解上述《规定》中的第十七条，下面我们结合前述的案例来详细解析。

1. 该条款的适用前提

该规定的适用前提应当限定于原告仅依据金融机构的转账凭证提起民间借贷诉讼的情况。因为，在原告能够提交借款合同、借条、收据等证据的情况下，一般不存在对借款关系是否存在的证明困难。故上述汪伦诉李白案件中，汪伦仅持有转账凭证，而双方之间也没有书面的借条或借款合同等，所以上述案件应该适用第十七条的规定。

2. 被告的举证责任

实践中，被告对原告提交的转账凭证一般不持异议，但对转账目的则往往抗辩称系偿还双方之前借款或其他债务等，此时，被告的抗辩内容，实际是一个新的主张，即双方之间还存在原告主张的借款关系之外的权利义务关系。此时被告应提供证据予以证明。因为在原告提供转账凭证的情况下，原告对双方之间借款合同关系的存在完成了初步举证责任，此时被告应对其抗辩的主张进行举证。本案中，李白对汪伦所提交的 4 月 30 日转账凭证不持异议，认可收到了 80 万元款项，但抗辩称该款项是投资款，并提供了双方于 5 月 27 日签订的《关于共同投资汤口村农场的协议》予以证明。

3. 原告的举证责任

在被告举证证明双方之间存在其他借款关系或其他债权债务关系的情况下，则举证责任又转回到原告一方。因为此时根据被告的举证，已经可以认定被告的反对主张成立，从而否定了原告的主张。但是，在实践中，存在被告虽然提出相应主张和证据，但是证据的证明力难以达到确认其他债权债务关系存在的目的。此时原告需要进一步举证，证明双方借贷关系的成立。本案中，李白提交了其与汪伦签订的《投资协议》，该协议中载明汪伦应出资的金额也为 80 万元，与汪伦所主张的还款金额相一致，但该协议签订的时间为 5 月 27 日，而汪伦主张的借款发生在此之前，其向李白汇款的时间是 4 月 30 日，故李白虽然提出相应主张和证据，但是证据的证明力难以达到确认汪伦于 4 月 30 日向其所汇的款项就是投资款的目的。此时汪伦需要进一步举证，证明双方借贷关系的成立。本案中，汪伦继续提交了 5 月 30 日向李白汇款 80 万元的凭证，以证明该笔汇款才是投资款，前述的汇款是借款而非投资款。

4. 证据的证明标准

在实践中，对于原、被告所主张的民间借贷事实是否真实发生，原、被告一般均会提交证据或作出相应陈述予以证明，而这些证据可能都不能直接而充分地证明当事人的主张。此时，法官只能根据法律和司法解释规定要求，对证据予以审查，并结合相关事实，在确信待证明的事实的存在具有高度可能性的情况下，认定该事实的存在，即对证明标准应当采取高度盖然性标准。本案中，汪伦主张第一次向李白所汇的 80 万元为借款，第二次向李白汇款 80 万元才是投资款，结合双方投资协议签订在两次汇款之间，且第二次汇款时间紧跟在双方签订协议后，汪伦的该主张符合常情，故其所证明的事实具有高度可能性，而李白主张第一汇款为投资款，但该款项是先于投资协议签订前汇给李白，不符合常情，李白又主张第二次汇款为增资款，但未提交任何证明，汪伦亦未认可，故法院对李白的主张不予认可。

5. 区分情况确定相应不利后果的负担

在原告提供金融机构转账凭证的情况下，原告对双方之间借款合同关系的存在完成了初步举证责任，此时应当进一步结合被告的答辩情况及举证，对双方是否存在借款合同关系进行分析认定。如果被告抗辩转账系偿还双方之前的借款或其他债务，并提供了相应证据证明其主张后，原告仍应进一步举证证明双方之间存在借贷关系，如果原告的进一步举证能证明双方之间存在借贷关系，法院一般认定双方借贷关系成立，支持原告的诉讼请求。反之，则原告就将承担举证不能的不利后果，承担败诉的风险。如果被告仅对双方之间存在借贷关系予以否认，抗辩称转账系偿还双方之前的借款或其他债务，但并未提供相应证据证明，那么被告就应承担举证不能的不利后果，在此情况下，法院一般会认定双方之间的借贷关系成立，并支持原告要求被告返还借款的诉讼请求。本案中，很明显在经过汪伦进一步举证后，已经能够证明汪伦和李白之间是存在借贷关系的，故法院依法判决李白向汪伦偿还借款本金及利息。

知识拓展

（一）自认的含义及规则

所谓自认是当事人对于己不利事实的承认。理论上，当事人提出对自己不利的事实主张，则适用自认规则从而不涉及举证责任问题，即对被告认可的事实主张，无需进一步举证证明，而直接予以确认。那么对于原告仅依据转账凭证提起民间借贷诉讼的情况下，如果被告对双方的借贷关系完全认可，法院是否依据被告的自认而直接予以确认呢？

（二）被告自认，法院仍严查

依据上述自认的规则，法院似乎应该直接予以确认。但事实并非完全如此。从目前民间借贷案件的实际情况和民间借贷市场现状来看，由于民间借贷是虚假诉讼的高发区，虚假诉讼的当事人之间常常在共谋、串通的基础上以调解方式结案，以转移财产或侵害第三人的合法权益。所以在被告自认的情况下，仍然要对借贷发生的原因、时间、地点、款项来源以及双方的关系、经济状况等事实予以关注和审查，在查明的事实与双方当事人的主张和自认存在明显矛盾时，不应对相应借贷事实予以确认。

普法提示

（一）借款不打条，起诉风险多

大量的民间借贷案件表明，借款不打借条的案件很容易发生在亲友或生意合作伙伴之间组。之所以如此，一方往往认为对方是相识之人，对借条之类的凭证不怎么放在心上，等有了纠纷，才后悔不迭。在审理这类案件时，法院的判决还是要看证据，特别是书面证据。若无证据，原告往往要承担举证不力的责任，承担败诉的结果。银行转账凭证可以证明款项交付的事实，但是却不能证明款项交付的原因，银行汇款的用途是多样的，即使出借人在银行转账时注明用途为“借款”，也可能是单方面的个人行为，难以获得法院认可。

（二）借款防风险，有妙招

针对上述的借款风险，我们给出以下几个建议：分别是“借款应该先小人，后君子”、保存证据的重要性以及借条书写的相关技巧。

1. 借款应“先小人，后君子”

在发生借贷行为时，在交付给对方相应款项后，建议出借人还需与借款人签订“借条”，不要因为双方关系亲密就疏忽了让对方出具借条、借据或欠条等借款凭证，也不要因为碍于情面，不好意思向对方索要上述借款凭证，否则，最后吃亏的可能就是自己。因此建议借款人应“先小人后君子”，所谓的“小人”就是不管对方是谁，在借钱的时候，让对方出具借条等书面凭证，万一对方到时不还款，债主就可以“君子”一回，拿出借条，让对方无法耍赖。

2. 保存证据很重要

在借款中，借贷双方都应当树立保存证据意识，完整地留存相关证据，应保存的文件包括但不限于：（1）借款凭证，如合同、欠条、借据、收据等；（2）支付凭证，如汇款凭证、转账凭证等。这样做的好处是：对于出借人而言，在借款人欠钱不还时，可以列举充分的证据证明借贷关系成立；对于借款人而言，假设出借人仅凭转账凭证提起恶意诉讼，可以列举双方此前的相关交易文件证明其已还款或属于其他债权债务关系。此外，要特别提示的是，借款人在偿还借款后，一定要将自己出具给对方的借条拿回撕毁，以防对方过后还来起诉要求还钱，给自己造成不必要的麻烦。

3. 借条书写有技巧

关于借条的书写，很多人认为是一件简单的事情，因此书写起来较为随意，不够规范，由此也会带来诸多风险。为了避免风险，我们需要掌握以下的书写技巧。

第一，一般应写明“借条”而非“欠条”，因为“欠条”一般并非因为借贷关系形成，实践中把借条写成“欠条”，有时会给法律关系的认定造成不必要的麻烦。

第二，应写清借款人全名，且该名字应与身份证上的名字相一致，千万不要写昵称或者绰号。此外名字后面写明身份证号码，因为同名同姓的人不在少数，而身份证号码是唯一的，以此避免之后就谁是借款人发生争议。

第三，应写明借款目的用途，以免一旦发生诉讼，借款人提出该借款系赌债、分手费或其他债权债务关系。

第四，应写清借款金额，包括大写和小写的金额，并确保双方一致，以避免之后就是否篡改发生争议。

第五，一般应写清与借款有关的时间期限，包括借款时间和还款期限。

第六，如双方约定了借款利息，就应该在借条中用文字予以明确，并保证约定的利率不得违反法律规定。

第七，借条的书写要清晰，同时为了避免歧义，一定要考虑文字、语句有无歧义。如小陈借小黄现金 2 万元，还欠款 1 万元。这里的“还”字既可以理解为“归还”，又可以理解为“尚欠”，容易产生纠纷。

第八，现金交付借款，借条上应载明。自然人之间的民间借贷，款项的实际交付才能使借贷关系生效。一般来说，借条足以证明借款的发生。但为了防止不必要的纠纷，应保留出借人给借款人交付款项的证明，如少量借款直接以现金交付的，可在借条上载明“借款人已收到该款项”；以银行转账等有记录凭证方式交付的，应保管好该凭证。

案例四

担保合同

——担保中需要注意的几个常见问题

张毅①

案情回顾

本节向大家介绍的这个案例一共涉及5个人。黄承福是出借人，赵彩凤和朱勇是借款人，赵、朱二人是夫妻关系。谷金贵和田大宝是保证人，为赵彩凤和朱勇的借款提供担保。

1月10日，黄承福向赵彩凤名下账户汇款50万元，向朱勇名下账户汇款50万元。2012年1月12日，黄承福分两笔向朱勇名下账户分别汇款40万元、60万元。也是在1月12日这一天，朱勇和赵彩凤一同向黄承福出具收条，其中朱勇认可收到黄承福转账150万元，赵彩凤认可收到黄承福转账50万元。朱勇和赵彩凤还和黄承福约定，上述4笔，共计200万元借款的借期都是1个月。

1月12日，谷金贵、田大宝向黄承福出具担保书。担保书写有如下内容：谷金贵、田大宝愿意为赵彩凤、朱勇夫妻借款200万元提供担保，担保一直到借款人还清借款有效。

---

① 北京市西城区人民法院民三庭副庭长、法官。

借款到期后，朱勇、赵彩凤夫妻没有还款，经过黄承福催要，谷金贵和田大宝在2月至2012年底期间，共计向黄承福还款65万元。此外，谷金贵和田大宝还帮助黄承福追回朱勇汽车一辆，变卖后折抵11.8万元借款。此后，朱勇、赵彩凤、谷金贵、田大宝都没有新的还款。

两年后，黄承福以保证合同为由，把谷金贵、田大宝起诉到法院，要求谷金贵、田大宝对朱勇、赵彩凤的借款承担连带保证责任，偿还黄承福123.2万元。

谷金贵、田大宝认为，黄承福没有在保证期限内向他们主张权利，二人的保证责任应该免除，不同意黄承福的诉讼请求。

一审法院认为，谷金贵、田大宝提供的担保是连带责任保证，黄承福在保证期间主张权利，符合法律规定。判决谷金贵、田大宝对朱勇、赵彩凤的剩余欠款123.2万元承担连带清偿责任。谷金贵、田大宝不服一审判决，提出上诉。

二审法院终审判决：驳回上诉，维持原判。

法理分析

上面这个案例，争议的双方是出借人黄承福和保证人谷金贵、田大宝。争议的焦点是：保证人谷金贵、田大宝是否应该承担保证责任，向债权人黄承福偿还欠款。要搞清楚这个问题，我们先要讲讲什么是保证。保证是债务担保的方式之一。为什么要有债务担保呢？主要是为了增加债权实现的可能性。也就是为了将来要钱的时候能多点保障。担保可以大体分为人的担保和物的担保。本案涉及的保证，就是人的担保。

（一）什么是保证？

法律上对于保证是怎么定义的呢？根据担保法的规定，保证是指保证人和债权人约定，当债务人不履行债务时，保证人按照约定履行债务或者承担责任的行为。用这个法律定义和本案的案情作一下对照，可以看出，保证其实涉及两个债权债务关系。一个是黄承福和朱勇、赵彩凤之间的借款合同关系，一个是黄承福和谷金贵、田大宝之间的保证合同关系。谷金贵、田大宝提供保证担保是为了保障黄承福借出的钱能够收回。在朱勇、赵彩凤到期不还钱的时候，谷金贵、田大宝可能先承担还款责任。但是，最终的责任仍然应该由借款的朱勇、赵彩凤承担。我们把朱勇、赵彩凤和黄承福之间关于借款的债务叫主债务，谷金贵、田大宝和黄承福之间为借款提供保证担保的债务叫从债务。

（二）什么是一般保证和连带责任保证？

那么，主债务（借款）和从债务（保证）之间有没有清偿的先后顺序呢？要回答这个问题，先要弄清楚保证的方式。

根据担保法的规定，保证可以分为一般保证和连带责任保证。两种保证方式在承担责任的顺序上有所不同。什么叫一般保证呢？如果当事人约定，主债务人不能履行债务时，由保证人承担保证责任，这样的保证就是一般保证。在主债务纠纷经过审判或者仲裁，并且主债务人的财产依法强制执行后，仍然不能履行债务的，一般保证的保证人才应该承担保证责任，否则可以拒绝承担保证责任。就是说，一般保证的保证人和主债务人在承担责任的时候，有先后顺序。一般保证人承担的责任是一个补充的责任，只有在主债务人不能承担的情况下，一般保证人才承担责任。一般保证人的这种权利，我们通常叫作“先诉抗辩权”。当然，担保法也对先诉抗辩权的行使做了一些限制。出现以下情况的时候，一般保证人不能行使先诉抗辩权：债务人住所变更、下落不明、移居境外，且无财产可供执行，致使债权人要求其履行债务发生重大困难的；人民法院受理债务人破产案件，中止执行程序的；或者保证人以书面形式放弃先诉抗辩权的。

下面我们说说另外一种保证责任，连带责任保证。如果当事人约定，保证人与主债务人对债务承担连带责任的，就是连带责任保证。也就是说，主债务人在规定的债务履行期届满没有履行债务的，债权人既可以要求主债务人履行债务，也可以要求连带责任保证人在保证范围内承担保证责任。也就是说，到了债务的履行期限，只要债务没有清偿，债权人既可以向主债务人要求还款，也可以向连带责任保证人要求还款。

（三）怎么判断保证方式？

本案中，谷金贵和田大宝向黄承福提供的是哪种保证呢？根据案件查明的事实，谷金贵和田大宝既没有明确约定在朱勇、赵彩凤（主债务人，也就是借款人）不能履行债务的时候承担保证责任，也没有明确约定对朱勇、赵彩凤的借款提供连带保证。在这种情况下，怎么确定谷金贵和田大宝提供的保证，是一般保证，还是连带责任保证呢？其实，担保法对这种情况是有相关规定的。在当事人对保证方式没有约定或者约定不明确的时候，保证人应该按照连带责任保证承担保证责任。因此，谷金贵和田大宝应该承担连带保证责任。黄承福既可以直接向朱勇、赵彩凤要求还款，也可以直接向谷金贵、田大宝要求还款，还可以一并要求朱勇、赵彩凤、谷金贵、田大宝还款。

（四）什么是保证期间？保证期间对主张债权有影响吗？

谷金贵、田大宝在答辩意见中表示，黄承福没有在保证期限内向他们主张权利，因此二人的保证责任应该免除。答辩意见中，涉及一个专业名词“保证期间”，保证期间是什么意思呢？谷金贵、田大宝的这个理由能够成立吗？

下面我们来说说什么是保证期间。保证期间是债权人能够向保证人主张权利的最长期限。保证期间可以由当事人自己约定，在约定不明确或者和法律、司法解释的规定存在冲突的情况下，按照法律和司法解释来确定保证期间。根据担保法的规定，在约定的保证期间和法律、司法解释规定的保证期间，债权人没有要求保证人承担保证责任的，保证人免除保证责任。就是说，债权人超过保证期间主张权利，保证人的保证责任就免除。这种情况下，债权人无权再要求保证人承担责任。

那么，黄承福向谷金贵、田大宝主张权利是否超过了保证期间呢？首先，我们看看双方是如何约定保证期间的。根据谷金贵、田大宝出具的承诺书，二人提供的保证一直到借款人还清借款有效。这个约定是否明确，是否具有法律效力呢？这种情况下，保证期间应该怎么确定呢？根据《最高人民法院关于适用〈中华人民共和国担保法〉若干问题的解释》（以下简称《担保法解释》）的规定，保证合同中约定保证人承担保证责任直至主债务本息还清时为止等类似内容的，视为约定不明，保证期间为主债务履行期届满之日起2年。

结合本案，谷金贵、田大宝关于保证一直到还清借款有效的约定，属于约定不明，本案的保证期间应该从朱勇、赵彩凤借款履行期限届满之日起计算2年。本案中，借款一共4笔，其中2笔发生在1月10日，2笔发生在1月12日。4笔借款借期均为1个月。因此，借款的履行期限在2012年2月届满，保证期间应该在两年后的2月届满。借款到期后，黄承福向谷金贵、田大宝主张过权利，谷金贵、田大宝也认可有过还款。黄承福还于两年后的1月向法院提起诉讼。可见，黄承福向谷金贵、田大宝主张权利在保证期间届满前。因此，谷金贵、田大宝认为黄承福超过保证期间主张权利的答辩意见，缺乏事实依据，法院不予采信，二人应该承担连带保证责任。

（五）保证担保的范围怎么确定？

那么，谷金贵和田大宝应该承担多少责任呢？这就涉及保证担保的范围。保证担保的范围和保证期间一样，也可以由当事人约定。在约定不明确的情况下，应该按照法律规定来确定担保的范围。一般来说，保证担保的范围可以包括主债权及利息、违约金、损害赔偿金和实现债权的费用。当事人如果对保证担保的范围没有约定或者约定不明确，保证人就应该对全部债务承担责任。本案中，谷金贵和田大宝没有和黄承福约定明确的担保范围，因此，应该就全部债务承担责任。除了黄承福认可的还款外，谷金贵、田大宝没有证据证明，他们和朱勇、赵彩凤有其他还款，因此，法院最终支持了黄承福要求谷金贵、田大宝偿还剩余欠款的诉讼请求。

知识拓展

通过上面这个案例分析，我们对保证担保有了初步的了解。具体涉及下面几个知识点：一般保证和连带责任保证的区别、如何确定保证方式、保证期间对债权人权利的影响、如何确定保证担保的范围。

除了上面这个案例涉及的法律规定外，法律和司法解释对于保证期间有没有其他的规定呢？谷金贵和田大宝一同为借款提供保证担保，他们之间应该怎么分担责任呢？如果针对同一笔债务还有房产抵押担保，谷金贵、田大宝的保证责任会受影响吗？

（一）关于保证期间的其他重要规定

通过上面的讲解，我们知道，保证期间非常重要，关系到保证人是否免除保证责任。上面这个案例只涉及保证期间认定的一种情形。现实当中，当事人没有约定保证期间的情况更为常见，对于这种情况，《担保法》和《担保法解释》又是怎么规定的呢？

《担保法》第二十六条第一款规定，连带责任保证的保证人与债权人未约定保证期间的，债权人有权自主债务履行期届满之日起六个月内要求保证人承担保证责任。《担保法解释》第三十二条第一款规定，保证合同约定的保证期间早于或者等于主债务履行期限的，视为没有约定，保证期间为主债务履行期届满之日起六个月。

总结一下上面的规定。针对连带责任保证，没有约定保证期间的，或者约定保证期间不晚于主债务履行期限的，保证期间都是主债务履行期届满之日起六个月。债权人应该在保证期间届满前要求保证人承担保证责任，否则保证人免除保证责任。

（二）连带共同保证的责任承担方式

上面案例中，谷金贵和田大宝一同为朱勇、赵彩凤夫妻的借款提供连带责任保证。那么，应该怎么向黄承福承担责任？两个人之间又该怎么分担呢？

《担保法解释》第十九条规定，两个以上保证人对同一债务同时或者分别提供保证时，各保证人与债权人没有约定保证份额的，应当认定为连带共同保证。连带共同保证的保证人以其相互之间约定各自承担的份额对抗债权人的，人民法院不予支持。第二十条规定，连带共同保证的债务人在主合同规定的债务履行期届满没有履行债务的，债权人可以要求债务人履行债务，也可以要求任何一个保证人承担全部保证责任。连带共同保证的保证人承担保证责任后，向债务人不能追偿的部分，由各连带保证人按其内部约定的比例分担。没有约定的，平均分担。

就是说，不论谷金贵和田大宝二人内部是否有约定，只要他们没有和黄承福约定保证份额，黄承福可以要求谷金贵或田大宝任何一个人承担全部保证责任，谷金贵和田大宝无权拒绝履行。此后，才考虑谷金贵和田大宝的内部责任分担问题。有约定的，按照约定比例分担，没有约定的，平均分担。

（三）物的担保和人的担保并存时，担保责任承担顺序

前面的法理分析中介绍过，保证属于人的担保。其他常见担保方式还包括抵押、质押、留置等，这些都属于物的担保。那么当物的担保和人的担保并存的时候，应该如何承担担保责任呢？说得更具体一些，如果朱勇、赵彩凤的借款还有房产抵押，谷金贵和田大宝的保证责任会受影响吗？

《物权法》第一百七十六条规定，被担保的债权既有物的担保又有人的担保的，债务人不履行到期债务或者发生当事人约定的实现担保物权的情形，债权人应当按照约定实现债权；没有约定或者约定不明确，债务人自己提供物的担保的，债权人应当先就该物的担保实现债权；第三人提供物的担保的，债权人可以就物的担保实现债权，也可以要求保证人承担保证责任。提供担保的第三人承担担保责任后，有权向债务人追偿。

根据上面的法律规定，如果针对一笔债务，既有房产抵押担保，又有保证，仍然首先尊重当事人的约定。允许担保人和债权人约定实现债权的顺序。先向谁主张，再向谁主张。在没有约定，或者约定不明的情况下，如果是朱勇、赵彩凤用自己名下的房产提供抵押担保，那么，黄承福就应该先就该抵押房产实现债权，再要求谷金贵、田大宝还款；如果抵押房产

是朱勇、赵彩凤以外的第三人提供，黄承福就可以自行选择要求谷金贵、田大宝或者第三人承担责任的顺序。

普法提示

通过对案例和法律规定的讲解，相信大家已经对担保有了更深的认识。学习法律是为了用好法律。那么，通过上面的学习，我们能够总结出哪些担保中需要注意的问题呢？债权人在接受担保的时候可能存在哪些疏忽呢？保证人在提供保证的时候又有哪些需要注意的问题呢？下面我们就来分别总结一下：

（一）债权人需要注意的几个问题

1. 接受保证时，一定要注意保证期间。保证期间不同于诉讼时效。当事人不提出诉讼时效抗辩，法院不会主动审查。针对保证期间，法院会主动审查。保证期间届满后，债权人才主张权利的，保证人的保证责任会免除。

2. 既存在物的担保，又存在人的担保时，如果不想受限于法律规定实现债权的顺序，在债务人本人提供物的担保时，一定要明确约定可以选择向任一担保人主张权利。

3. 在接受房产抵押担保时，要注意，房产抵押需要经过登记才算设立，没有经过登记的，不具有优先受偿权。

（二）保证人需要注意的几个问题

1. 明确提供保证是否是自己的真实意思。如果只是作为见证人，不想承担保证责任，签名时最好注明“见证人”，避免在“保证人”“担保人”后签名。

2. 如果不想提供连带责任保证，只愿意在债务人承担责任后，承担补充责任，一定要注明“一般保证”，或者“债务人不能履行债务时，承担保证责任”。否则，没有约定或者约定不明的，都会按照连带责任保证承担责任。

3. 如果不想就全部债务提供担保，一定要明确约定担保范围，限定自己的责任范围。否则，没有约定或者约定不明的，会按照全部债务承担责任。

以上，是针对本节案例和相关法律规定做的一些总结。其实，涉及担保的法律规定还有很多。本次介绍的，是最常见的，也是和日常经济活动关系最密切的担保法规定。希望通过本节的学习，大家能掌握一些有用的法律知识，指导自己的经济活动，降低法律风险。

案例五

买卖合同

——教你买东西如何防欺诈

赵泓翔[①]

在日常生活中，我们作为消费者经常去商场、超市、便利店购买吃、穿、住、行的商品。我们花了钱，当然是希望购买到合格的商品，但有句俗话说得好，“买的永远没有卖的精”，作为普通消费者我们不可能对每个商品都有深入的了解，买卖双方信息往往不对称，现实生活中一些不良商家为了非法利益，使出五花八门的欺诈手法，让人防不胜防，比如：商家销售过期的食品，如大米、饮料、牛奶、饼干，尤其是一些保质期较短的商品，让人一不留神就买到过期商品，更有甚者销售不符合安全标准的食品，比如，在食品中添加非食品原料，违法添加药品等，危害消费者身体健康，严重侵犯消费者的合法权益。作为消费者往往在购买时无法及时发现问题，在购买后才发现受到欺诈。这时不少消费者抱着商品“没多少钱”“认亏了”“嫌麻烦”的态度往往不了了之，有的上门维权遇到不良商家可能百般抵赖，让消费者投诉艰难。事实上，买东西遇到欺诈不要怕麻烦，坚决维权才是我们应该做的。

---

① 北京市西城区人民法院民四庭法官助理。

案情回顾

（一）衣服面料成分不符被判“退一赔三”

胡权在连卡公司的专柜购买了6件女装连衣裙，单价3200元，总计消费19200元。连衣裙服装所附水洗标上显示面料的成分：61%聚酯纤维、29%棉、10%锦纶，里料为97%聚酯纤维、3%氨纶。标注内容与导购所宣称的内容一致。在朋友聚会时，朋友称其所购买的连衣裙可能存在问题的情况下，胡权将其中一件涉案服装送至纺织产品质量监督检验测试中心、纺织科学研究院纺织产品质量检测中心进行检测。检测报告所的检验结果为：面料1：底布：锦纶100%，绣线1：棉100%，绣线2：粘纤100%；面料2：表层：聚酯纤维100%，里层：聚酯纤维100%，（装饰部分除外）。检测结论：该送检样品经检测，所检项目不符合FZ/T81004-2012《连衣裙、裙套》标准要求。评定：不合格。从检测报告看连卡公司出售的衣服明显存在标注成分与实际检验成分不符的情况，不符合国家服装标准的要求。胡权认为连卡公司存在欺诈行为，在与商家沟通未果的情况下，向法院提起诉讼。[1]

法院在受理案件后，经过审理，法院认为，原告胡权与被告连卡公司之间存在买卖合同关系。涉案服装所附水洗标的内容存在不真实的情况，胡权要求退货的主张予以支持，根据《消费者权益保护法》第二十条规定，经营者向消费者提供有关商品或者服务的质量、性能、用途、有效期限等信息，应当真实、全面，不得作虚假或者引人误解的宣传。第五十五条规定，经营者提供商品或者服务有欺诈行为的，应当按照消费者的要求增加赔偿其受到的损失，增加赔偿的金额为消费者购买商品的价款或者接受服务的费用的三

---

① 本案例以北京市西城区（2016）京0102民初24309号民事判决书为原型编辑整理而成，案例中人名为化名。

倍；增加赔偿的金额不足五百元的，为五百元。根据司法鉴定所的《鉴定意见书》，涉案服装的纤维含量标识并不符合国家相关规定，其含量标识被判定为不合格。在此情况下，消费者对涉案服装面料上的知情权被剥夺，即经营者在销售涉案服装的过程中并未向消费者提供真实全面的信息，故法院支持了对于连卡公司应当承担按照货款的三倍向胡权进行赔偿的法律责任，同时，胡权支付的检测费以及鉴定费用亦应当由连卡公司承担。

（二）食品中违法添加药品被判“退一赔十”

赵维维在物美超市购买了 9 袋进口早餐麦片，麦片单价 39.9 元，赵维维一共支付了 359.1 元。购买回家后，赵维维查看麦片成分表，发现该麦片中添加使用了“亚麻籽”，作为学过医学的赵维维心中有了疑问？亚麻籽是中药材，怎么能够添加到食品中销售呢？赵维维赶快查看了药典，发现“亚麻籽”系收录药典的中药材；经过上网查询，赵维维了解到，亚麻籽在我国无传统食用习惯，亚麻籽缺少作为食品原料长期服用的卫生学、毒理学等安全性评价研究数据，将其作为食品原料，可能对人体产生任何急性、亚急性、慢性或其他潜在性健康危害。物美超市销售该食品存在严重的安全隐患，涉案食品为不安全食品，违反了《食品安全法》的相关规定。赵维维在向店家维权被拒绝后，双方协商未果，赵维维向法院起诉。请求法院判令物美超市退货退款，并且按照食品安全法的相关规定，要求按购买货款的十倍赔偿。[①]

法院在受理案件后，经过审理，法院认为，赵维维与物美超市之间成立了买卖合同关系，物美超市作为食品销售者有义务向赵维维提供符合食

① 本案例以北京市西城区（2017）京 0102 民初 16282 号民事判决书为原型编辑整理而成，案例中人名为化名。

品安全标准的食品。物美公司销售的涉案产品的原产国为意大利，但也应当符合我国食品安全国家标准，该产品为普通食品，其标签中显示包含亚麻籽，亚麻籽属于药品，且不属于可以用于普通食品的新食品原料，也不属于按照传统既是食品又是中药材的物质，不能添加在食品中销售。故物美超市出售的进口麦片不符合我国食品安全标准。被告出售了不符合国家标准的商品，存在违约，赵维维有权要求物美超市退货退款。物美超市作为食品的销售者怠于履行审查义务导致销售了不符合食品安全标准的食品，应承担相应的赔偿责任。故最后法院判决物美超市向赵维维退货退款，并支付赵维维购买商品金额十倍的赔偿金。

法理分析

通过上面案例，我们发现法院最后支持了胡权“退一赔三”的诉讼请求，也支持了赵维维“退一赔十”的诉讼请求，胡权和赵维维依法维护了自己的合法权益。那么法院判决“退一赔三”“退一赔十”的依据是什么？在什么条件下适用“退一赔三”？在什么条件下适用“退一赔十”？两者有什么关系？上述案例中是否涉及欺诈，如果涉及欺诈又该如何认定？下面让我们来逐一论述：

（一）如何区分“退一赔三”和“退一赔十”

在消费者维权过程中，我们经常会听到“退一赔三”或“退一赔十”的说法，但什么时候适用“退一赔三”？什么时候适用“退一赔十”呢？我们先看看这两者的法律依据，《消费者权益保护法》第五十五条规定：“经营者提供商品或者服务有欺诈行为的，应当按照消费者的要求增加赔偿其受到的损失，增加赔偿的金额为消费者购买商品的价款或者接受服务的费用的三倍；增加赔偿的金额不足五百元的，为五百元。法律另有规定的，依照其规定。”《食品安全法》第一百四十八条规定：“消费者因不符合食品安全标准的食品受到损害的，可以向经营者要求赔偿损失，也可以向生产者要求赔偿损失。接到消费者赔偿要求的生产经营者，应当实行首负责任制，先行赔付，不得推诿；属于生产者责任的，经营者赔偿后有权向生产者追偿；属于经营者责任的，生产者赔偿后有权向经营者追偿。生产不符合食品安全标准的食品或者经营明知是不符合食品安全标准的食品，消费者除要求赔偿损失外，还可以向生产者或者经营者要求支付价款十倍或者损失三倍的赔偿金；增加赔偿的金额不足一千元的，为一千元。但是，食品的标签、说明书存在不影响食品安全且不会对消费者造成误导的瑕疵的除外。”通过法条，我们可以发现，“退一赔三”适用的是经营者提供的商品或服务存在欺诈的情况，而“退一赔十”适用的则是生产或经营不符合食品安全标准的食品。作为消费者，我们只需要记住，如果购买的是普通商品，这里的商品包括日用品，如牙膏、香皂等，也包括电子产品，如手机、笔记本电脑等，甚至大件商品汽车等，如果发现商家欺诈销售，比如故意夸大宣传、销售假货等，都可以主张“退一赔三”。如果购买的是食品，比如，零食、饮料、柴米油盐等，如果发现不符合食品安全标准，比如，常见的过期食品、违法添加非食品原料食品、变质食品等，我们就可以向商家主张十倍赔偿，如果赔偿金额不足 1000 元的，按照 1000 元计算。

我们可以发现，法律对不符合安全标准的食品，赔偿额度要比普通商品要高，这是因为食品安全直接关系着消费者的身体健康，身体健康的法益作为最基本、最重要的法益，法律予以最严格的保护。还有一点，不少不良商家在销售或经营不符合食品安全标准的食品后，面对消费者维权，经常会以消费者没有食用或没有对消费者身体造成损害为由抗辩十倍赔偿，对此《最高人民法院关于审理食品药品纠纷案件适用法律若干问题的规定》第十五条规定："生产不符合安全标准的食品或者销售明知是不符合安全标准的食品，消费者除要求赔偿损失外，向生产者、销售者主张支付价款十倍赔偿金或者依照法律规定的其他赔偿标准要求赔偿的，人民法院应予支持。"可见，对于生产或经营明知是不符合食品安全标准的食品的行为，消费者有权向生产者或经营者要求赔偿，并不以发生实际损害为前提，当然消费者如因购买食用涉案商品造成人身损害的，可以主张侵权责任赔偿。此外，如果在商家购买到不符合食品安全标准的食品，可以选择向商家即经营者追偿，也可以选择向生产者追偿。

（二）什么是消费欺诈？如何认定？

要认定消费过程中经营者的欺诈行为，我们先看看法律如何规定，根据《最高人民法院关于贯彻执行〈中华人民共和国民法通则〉若干问题的意见》第六十八条规定，一方当事人故意告知对方虚假情况，或者故意隐瞒真实情况，诱使对方当事人作出错误意思表示的，可以认定为欺诈行为。①据此，消费欺诈是指经营者在提供商品或者服务过程中，采取虚假或者其他不正当手段欺骗、误导消费者，使消费者的合法权益受到损害。下面让我们来将消费欺诈进行一下剖析，通常来讲在消费过程中构成欺诈行为一般要具备以下四个条件：

1. 经营者有欺诈的故意。欺诈的故意是指经营者明知道其对商品的陈述存在虚假的情况，并且会导致消费者陷入错误的认识，而希望或者放纵这种结果的发生。消费欺诈的故意是一种主观心态，包括两方面：一是陈述虚伪事实的故意，比如经营者明知自己商品中不具有某种有益成分，而

① 参见邵爱静：《消费者权益保护法视野下经营者"不作为欺诈"的认定——以违反告知义务为视角》，载《苏州大学》2016年第1期。

宣传其商品具有该成分；二是诱使他人陷入错误认识的故意，即经营者虚假的陈述是为了使消费者错误地相信经营者的宣传或陈述。

2. 经营者实施了欺诈的行为。即经营者出于某种目的，一般来说是牟利的目的，不仅要有实施欺诈的想法，还必须把该想法通过一定的行为表现出来，比如说通过电视、网络的广告虚假宣传，或者将假冒伪劣商品说成质优价廉。但有时候欺诈还表现为不作为。

3. 被欺诈的消费者因欺诈而陷入错误认识。经营实施了欺诈的行为，消费者由于信息不对称或者其他原因错误地相信了经营者的虚假宣传行为，比如商家宣称出售真皮大衣，而其实是人造革的材质，消费者没有辨识能力，错误相信该大衣皮质就是真皮。

4. 被欺诈的消费者因错误认识而购买商品或服务。消费者被商家欺骗，陷入了错误的认识当中，并购买了商品或者服务。这时整个消费欺诈过程就已经成立。

通过分析，我们对欺诈有了法理上的初步理解，那么作为消费者，购买商品或服务便利性是主要考虑因素，普通消费者难以做到按照欺诈的构成要件来判断是否欺诈，尤其是不良商家五花八门的欺骗手段越来越多，更难以辨识，其实，作为一般消费者辨识是否欺诈一般只要通过生活经验即可，要时刻有维权意识，只要认为购买的商品存在问题，都可以先向商家主张权利，与商家进行沟通，如果无法得到保障再通过行政投诉或者诉讼的方式来维护自己的合法权益。在这里《侵害消费者权益行为处罚办法》给我们列举了常见的消费欺诈情况：

1. 销售的商品或者提供的服务不符合保障人身、财产安全要求；

2. 销售失效、变质的商品；

3. 销售伪造产地、伪造或者冒用他人的厂名、厂址、篡改生产日期的商品；

4. 销售伪造或者冒用认证标志等质量标志的商品；

5. 销售的商品或者提供的服务侵犯他人注册商标专用权；

6. 销售伪造或者冒用知名商品特有的名称、包装、装潢的商品；

7. 在销售的商品中掺杂、掺假，以假充真，以次充好，以不合格商品冒充合格商品；

8. 销售国家明令淘汰并停止销售的商品；

9. 提供商品或者服务中故意使用不合格的计量器具或者破坏计量器具准确度；

10. 骗取消费者价款或者费用而不提供商品或者服务；

11. 不以真实名称和标记提供商品或者服务；

12. 以虚假或者引人误解的商品说明、商品标准、实物样品等方式销售商品或者服务；

13. 作虚假或者引人误解的现场说明和演示；

14. 采用虚构交易、虚标成交量、虚假评论或者雇佣他人等方式进行欺骗性销售诱导；

15. 以虚假的“清仓价”“甩卖价”“最低价”“优惠价”或者其他欺骗性价格表示销售商品或者服务；

16. 以虚假的“有奖销售”“还本销售”“体验销售”等方式销售商品或者服务；

17. 谎称正品销售“处理品”“残次品”“等外品”等商品；

18. 夸大或隐瞒所提供的商品或者服务的数量、质量、性能等与消费者有重大利害关系的信息误导消费者；

19. 以其他虚假或者引人误解的宣传方式误导消费者；

20. 从事为消费者提供修理、加工、安装、装饰装修等服务的经营者谎报用工用料，故意损坏、偷换零部件或材料，使用不符合国家质量标准或者与约定不相符的零部件或材料，更换不需要更换的零部件，或者偷工减料、加收费用，损害消费者权益的；

21. 从事房屋租赁、家政服务等中介服务的经营者提供虚假信息或者采取欺骗、恶意串通等手段损害消费者权益的。[①]

知识拓展

（一）七天无理由退货如何适用？

随着电商的快速发展，网上购物已经成为大部分消费者的首选，在网上购物时，不少商家都号称对货品不满意可“七天无理由退货”，那么，七天是从什么时间开始计算？是不是所有商品都可以退？退货程序如何？

《消费者权益保护法》第二十五条规定，经营者采用网络、电视、电话、邮购等方式销售商品，消费者有权自收到商品之日起七日内退货，且无需说明理由，但下列商品除外：消费者定做的；鲜活易腐的；在线下载或者消费者拆封的音像制品、计算机软件等数字化商品；交付的报纸、期刊。除前款所列商品外，其他根据商品性质并经消费者在购买时确认不宜退货的商品，不适用无理由退货，比如，拆封后易导致商品品质发生改变的、一经激活或者试用后价值贬损较大的、销售时已明示临近保质期或有瑕疵的。2017 年 1 月 6 日，国家工商行政管理总局公布了《网络购买商品七日无理由退货暂行办法》规定，选择无理由退货的消费者应当自收到商品之日起七日内向网络商品销售者发出退货通知。七日期间自消费者签收商品的次日开始起算。网络商品销售者收到退货通知后应当及时向消费者提供真实、准确的退货地址、退货联系人、退货联系电话等有效联系信息。消费者获得上述信息后应当及时退回商品，并保留退货凭证。消费者退货时应当将商品本身、配

① http://yanpeilawyer.bokee.com/502708929.html.

件及赠品一并退回。赠品包括赠送的实物、积分、代金券、优惠券等形式。如果赠品不能一并退回，经营者可以要求消费者按照事先标明的赠品价格支付赠品价款。消费者退回的商品完好的，网络商品销售者应当在收到退回商品之日起七日内向消费者返还已支付的商品价款。

（二）知假买假还受保护吗？

《最高人民法院关于审理食品药品纠纷案件适用法律若干问题的规定》第三条规定："因食品、药品质量问题发生纠纷，购买者向生产者、销售者主张权利，生产者、销售者以购买者明知食品、药品存在质量问题而仍然购买为由进行抗辩的，人民法院不予支持。"也就是说，"知假买假"行为不影响消费者维护自身权益。该规定是出于打击无良商家，维护消费者权益，净化食品、药品市场环境的目的而出台的，故对于消费者，即使知道是假货仍然购买的，也可以依法维权。但值得注意的是，目前不少"消费者"即职业打假人，采用恶意购买的手段，甚至利用法律对消费者的倾斜保护，采取用过期食品替换未过期产品等恶意方式，购买后主张赔偿，以此牟利，这种行为可能会涉及诈骗，是违法行为，我们消费者应当坚决抵制。我们鼓励消费者利用法律武器维权，但不应当钻法律的空子。

普法提示

（一）时刻牢记自己的权利。根据《消费者权益保护法》《产品质量法》等法律规定，消费者在购买商品或接受服务时，主要享有以下权利：安全权、知情权、自主选择权、公平交易权、求偿权、维护自身合法权益权、获得知识权、人格尊严权和监督举报权。

（二）购物凭证不能忘。消费者在购买商品时一定记得保管好相应的购物凭证，尤其是发票，发票不仅是购物的凭证，更是消费者维权的基本证据。如果没有及时索要发票，如果商品质量出现问题，后续维权将会困难重重。因此，消费者在购物时千万不要忘记索要发票并予以妥善保管。除此之外，还有保修卡、信誉卡、产品使用说明书、产品合格证、警示标志等凭据，都要保管好，以备急用。

（三）牢记维权时限。根据国家《部分商品维修更换退货责任规定》，国家对部分商品维修更换退货时间作了如下规定：1.“7 日”规定。产品自售出之时起 7 日内发生性能故障，可以选择退货、换货或修理。2.“15 日”规定。产品自售出之日起 15 日内发生性能故障，消费者可以选择换货或修理。3.“三包有效期”规定。三包有效期自开具发票之日起计算。在国家公布的第一批实施三包的 18 种商品，如彩电、冰箱、自行车、空调、手表等的三包有效期，整机分别为半年至 1 年，主要部件为 1 至 3 年。三包有效期应扣除因修理占用的时间，换货后的三包有效期自换发之日起重新计算。4.“30 日”和“5 年”的规定。修理者应保证修理后的产品能正常使用 30 日以上。生产者应保证在产品停产后 5 年内继续提供符合技术要求的零配件。[①]

（四）多种途径维权。《消费者权益保护法》第三十四条明确规定，消费者和经营者发生消费者权益争议的可以通过五种途径解决：1. 与经营者协商和解；2. 请求消费者协会调解；3. 向有关行政部门申诉；4. 根据与经营者达成的仲裁协议提请仲裁机构仲裁；5. 向人民法院提起诉讼。当消费者的权益受到侵害，通过其他途径无法有效维权时，一定要及时地向法院提出诉讼请求。不要怕打官司，法院立案登记制度改革后，“打官司”已然不是难事，要学会利用法律武器维护自身合法权益。

---

① http://yanpeilawyer.bokee.com/502708929.html.

图书在版编目（CIP）数据

农村居民法律常识案例读本 / 蔡慧永，刘双玉主编. —北京：中国法制出版社，2019.8

（法官说法丛书）

ISBN 978-7-5216-0340-8

Ⅰ. ①农…　Ⅱ. ①蔡…　②刘…　Ⅲ. ①法律—基本知识—中国　Ⅳ. ①D920.5

中国版本图书馆CIP数据核字（2019）第140500号

责任编辑：戴　蕊（dora6322@sina.com）
陆紫薇（luziwei@zgfzs.com）　　封面设计：周黎明

农村居民法律常识案例读本

NONGCUN JUMIN FALÜ CHANGSHI ANLI DUBEN

主编 / 蔡慧永　刘双玉

经销 / 新华书店

印刷 / 三河市国英印务有限公司

开本 / 710毫米×1000毫米　16开　　印张 / 14.25　字数 / 189千

版次 / 2019年8月第1版　　2019年8月第1次印刷

中国法制出版社出版

书号ISBN 978-7-5216-0340-8　　定价：39.80元

北京西单横二条2号　邮政编码100031　　传真：010-66031119

网址：http://www.zgfzs.com　　**编辑部电话：010-66010406**

市场营销部电话：010-66033393　　**邮购部电话：010-66033288**

（如有印装质量问题，请与本社印务部联系调换。电话：010-66032926）